細菌学者の般若心経と相即の知

吉田 眞一

花乱社

装丁／鶴田　純

まえがき

仏教には優れた哲理があります。諸行無常、諸法無我、涅槃寂静、一切皆苦は四法印といわれます。いわゆる仏法とは何かと問われたとき、私はこの四法印を説明し、諸行無常とは哲学的には縁起・空のこと、諸法無我は無自性・空のことです、などと説明します。

私が仏教と出会ったのは、十七歳の時。私が生まれ育った長崎県平戸島の対岸に田平《たびら》という地区があり、そこに南北朝時代創建の海印山是心寺《ぜしんじ》（臨済宗妙心寺派）というお寺があります。日の光をうけ鏡のように輝く平戸瀬戸に臨み、対岸の島の緑が空と海に映える風光明媚な土地です。同級生に誘われて立派な山門をくぐった私は、潮風が香るお堂に朗々と響く辻宗哲ご住職の読経の声とその音の響きに、意味もわからないまま心を奪われました。ご住職の座禅を組まれる美しい姿や、蠟燭に火をともす何気ない所作にも――。

そして座禅会など折にふれ通ううちに、ご住職は私が抱えていたさまざまな疑問、将来への漠然とした不安や、生きることの矛盾について、また世界の成り立ちを知りたいという欲求を受けとめてくださり、「不一不二」「色即是空」「事事無礙、理事無礙」といった仏教の教えをお話しくださったのです。

仏教の古典的な表現に妨げられて、とても理解できたとは言い難かったのですが、和尚様の霊性に触れ、初めて体験する爽やかな、疑問が解決されるような〝開け〟を感じました。このご住職が、私が最初に出会った善知識（正しく仏道へと導いてくれる指導者）です。このときに覚えた『般若心経』は、以後の私の人生の支えとなりました。

高校を卒業した私は九州大学医学部に進み、大学院で免疫学・細菌学の研究に没頭、昭和五十六（一九八一）年三十一歳のときに、ご縁があり産業医科大学に微生物学の講師として勤めることになりました。そこで出会ったのが教養部で哲学を教えておられた本多正昭教授です。

産業医大には「生涯にわたって哲学する医師を養成する」という初代学長の建学の精神があり、本多先生はそれを実践しておられ、私は研究室にお邪魔してお話を伺うようになりました。あるとき本多先生が仰った「すべてが隠顕倶成《おんけんぐじょう》です」という言葉に惹かれ、その意味をたずねたところ、中山延二博士の『華厳哲学素描』（百華苑、一九七八年）を手渡されました。「隠顕倶成」は「華厳十玄」のなかの隠と顕の矛盾的相即を表す重要な語句だったのです。それを機に中山博士の著書をむさぼるように読みました。

中山博士は、哲学者・西田幾多郎（一八七〇〜一九四五）が到達した究極の真理「絶対矛盾的自己同一」を継承・発展させ、仏教論理を真に体解《たいげ》された方でした。そしてそれは世界成立の真理であり、仏教の縁起・空の論理は「矛盾的相即」（華厳仏教の「一即多、多即一」、また『般若心経』の「色即是空、空即是色」にいわれる「即」の論理構造）であることを明らかにされたのでした。

中山博士の「この世にあらわれるものは、必ず矛盾を含んでいる」「具体的なものは、いつも相手側に根拠をもって成立する」などの説明は、とてもわかりやすいものでした。かつて、和尚様がお話しくださった言葉の数々が、意味と論理をもって私の胃の腑に落ちていきました。

平成六（一九九四）年、産業医科大学微生物学教室の教授に就任し、四年間教室を主宰しました。教室ではレジオネラ（細胞内増殖性、遺伝学）、腸管出血性大腸菌（ベロ毒素）の研究が全盛期でした。同時期に国内で大腸菌Ｏ１５７、レジオネラ感染症のアウトブレイク（集団発生）が相次いで起こり、教室はにわかに世間の注目を集めました。

平成十（一九九八）年に母校九州大学医学部細菌学を主宰することになりました。九州大学に移ってからは、月に一度、仏教の勉強会を六年間続けました。研究室や学年を越えてさまざまな医学生たちが集まり、中山博士の本をテキストにして活発に討議しました。学生たちからは「吉田ゼミ」とも、悩める学生たちにとっての「駆け込み寺」とも呼ばれていたそうです。学業の挫折感や研究テーマの悩み、人間関係の問題など相談もよく受けました。即の論理に出会って何が真理であるかと迷うことがなくなり、即の勉強に打ち込めることが救いであり喜びであった私にとって、その喜びを一人でも多くの学生さんに伝えたいという思いで勉強会を続けました。

産業医大、九州大学と足掛け三十六年間微生物学の基礎的な研究を続けてきましたが、定年退職の平成二十七（二〇一五）年から精神科担当医となり、福岡聖恵病院で七年間勤務しました。

その臨床の現場で、患者さんや病院のスタッフに仏教や『般若心経』の話ができたらよいのに、と思うことがしばしばありました。鬱病の患者さんや場面緘黙《かんもく》症の患者さんに発症や症状を説明するのに仏教論理ほど適しているものはなく、これを知れば生きることが楽になるのに、と思う場面が何度もありました。

これらの体験から『般若心経』についての勉強会のテキストを作りたいと思うようになったのが本書刊行の最初の動機です。ですが、巷には種々の関連書籍が溢れ、私のような素人が仏教哲学を論じることはいささか恥ずかしいことですし、屋上屋を架すに過ぎないのではとの思いもありました。しかし、世界で唯一の大乗仏教国に生きる者としての使命と、日本が誇る知的遺産を若者たちに少しでも伝えたいとの思いが年々つのり、今回の発刊に至りました。在職中におこなった講演録や各誌に掲載されたエッセイなども収録させていただきました。

本書の構成は、以下のようになります。

第一章「『般若心経』と仏教哲理」は、二〇一五年「福岡井口感性塾」でお話しした「これで納得、仏教論理」と、勉強会のテキストになればと書き起こした『般若心経』の勉強会」の二稿です。『般若心経』は漢字二六二文字の短いお経ですが、仏教の真髄が書かれています。詳細な語句解説にとらわれず、縁起や色即是空の「即」の論理（矛盾的相即）について解説した、本書の中心となる内容です。

第二章「相即の知」は、矛盾的相即の考え方について多面的に説明を試みました。九州大学での最終講義「善知識と相即の知との出会い」では私が出会った善知識について、「矛盾的相即の論理の探究」では「論理」に焦点をあてました。最後の項「対・変化・空存」は、矛盾的相即をめぐる論理的諸問題への私の提案です。

第三章「細菌学者が垣間見た哲学的世界」は、主に精神科担当医として働いているときに書いたエッセイで、精神的・哲学的な物の見方について紹介しています。

第四章「若い皆さんへ伝えたいこと」は、九州大学在職中に細菌学教室が年一回発行していた「青藍会報」掲載原稿を中心にまとめました。私の若い頃の研究物語や、巻頭言、折々のトピックを交えて書いたエッセイ、学生さんへのオリエンテーションでの話などです。

最後に、第五章「ふたたび矛盾的相即」として、第二章でも少し触れた、私が出会った善知識、中山延二先生・本多正昭先生の業績と教えについてまとめました。お二人の碩学を紹介し、哲学や宗教を学ぼうとする科学者が一人でも多く誕生することに期待したいと思います。

「細菌学と仏教との共通点は何ですか?」と訊かれることがあります。仏教と細菌学の組み合わせが不思議に思われるようです。私は笑いながら、「どちらも肉眼では見えません」と答えます。肉眼では見えないけれど確かに存在します。巨視的に見ても微視的に見ても、この世に起こるすべての物事・生命には、同じ論理が働いていると思わざるを得ません。

西田幾多郎は昭和十八(一九四三)年七月二十七日、務台理作《むたいりさく》氏に宛てた手紙のなかで「私の場所の論理を媒介として仏教思想と科学的近代精神との結合ということは私の最も念願とする所であり最終の目的とする所でございます」と書いています。私はこれを読んだとき、これからの方向性を教えられたと思いました。現代は科学を語らずして哲学を語ることはできません。哲学は科学をどう導くかということを視野に入れなければならないのではないかと思います。難しい仕事だと思いますが、難しいからこそ、粘り強い持続力が必要だと思っています。

十七歳で出会ってから今日まで研鑽を積んできた仏教哲学の真理追究の道は、もう一つの道、細菌学者として生きてきた私を支える根幹です。この一見矛盾するようにも見える二つの道は、私の中で二つで一つ、不可分なものです。付言させていただくとすれば、仏教論理は世界成立の真理であり科学的な真実であるということを、私自身の人生を通して感じていただければ、これに勝る喜びはありません。

二〇二三年十月

目次

細菌学者の般若心経と相即の知

第二章　相即の知

第三章　細菌学者が垣間見た哲学的世界

第四章　若き学究の徒へ伝えたいこと

第五章　ふたたび矛盾的相即

第一章　『般若心経』と仏教哲理

魚行きて魚に似たり
鳥飛んで鳥の如し　——道元

これで納得、仏教論理

［「第98回福岡井口感性塾」井口潔先生主宰、二〇一五年十一月例会］

今日はちょっとくだけて、「これで納得、仏教論理」というタイトルでお話をしたいと思います。

私は一九四九（昭和二十四）年、長崎県の平戸で生まれて、小・中・高校と平戸の学校に通いました。平戸の対岸にある田平という地区（現在は平戸市）に是心寺というお寺があり、辻宗哲という住職がおられました。臨済宗の本山・妙心寺で二十年以上修行を積んだとても立派な和尚様でした。高校の同級生に誘われて坐禅会に行くうちに、私も和尚様の人格に魅せられて、高校卒業時に「僕もお坊さんになりたい」と言いましたら、「吉田くんは医者になりなさい」と言われました。おそらく父が医師をしていたことから、その跡を継ぐのがいいと思われたのでしょう。私もこの和尚様ほどの宗教的才能はないと思いましたので、まず医学部に行って、傍ら仏教の勉強をしていました。今日は長年勉強して求め続け、納得してきた仏教と人生の大事な部分をお話したいと思います。

仏教論理というのは、私の哲学の先生である産業医科大学の哲学の教授であった本多正昭先生がおっしゃるには奥が深く、「これでわかった」と言えるような論理じゃないと言われます。今日は少しでも納得していただければ、うれしく思います。

はじめに――仏教に対する誤解

これまで仏教は色々な誤解をされてきています。その原因の一つは、仏教用語が日常化、常識化してしまって、本来の深い意味、真理が忘れ去られているためと思われます。その代表が縁起という言葉です。この言葉は、今では縁起が悪いとか、縁起を担ぐといった風に使われますが、実はお釈迦様がブッダガヤの菩提樹の下で悟られた真理を指すのです。また、我慢も意味が大きく変化した用語です。きつくても我慢しなさいと親から言われて、我慢することは良いことと思っていたかもしれませんが、自我が増慢することを意味する我慢は、仏教では最もよくないことの一つです。

もう一つの原因は、仏教の依って立つ立場が、科学の立場や私たちの日常的な、あるいは常識的立場とは異なっているわけで、異なった立場からいくら仏教をわかろうとしてもわからないというわけです。私たちが慣れ親しんでいる世間的な立場は対象論理であったり、実体論であり、要素還元主義などと言われています。対象論理とは、私たちは世界の中にいるのに、世界の外から世界を眺めているという物の見方をするのです。本当は世界の外に出ることなどできないのにです。それから実体論です。物には本質というものがある、実体がある、という考え方です。仏教では不変の本質とか実体は認めません。それと、科学分野でよく聞かれると思いますけれども、要素還元主義。この世界は色んな要素に分解して解析ができるという立場で、これ以上分割できないという究極の粒子を探す立場になります。これらが私たちの日常的な物の見方なのです。

縁起の法と因果律

仏教は縁起の立場、そして無我の立場です。お釈迦様が縁起の法や無我を悟られて仏教は始まります。縁起という言葉を調べても、いつ頃から使われ始めたのかよくわかりませんが、サンスクリット語から十二因縁とか十二縁起と漢訳されています。

縁起とは因縁生起の略で、「一切の事物は不変で固定的な実体をもたず、さまざまな原因（因）や条件（縁）が寄り集まって成立しているということ。仏教の根本思想」と『広辞苑』（岩波書店）にあります。「一切の事物は」とありますから、この世界にあるすべてのものごとが、「固定的な実体をもたず」不変の本質はなく、他から独立してそれのみで存在することはできない、ということです。

この縁起というのは、因果律です。因果という言葉は科学でも使います。学生さんも因果律を勉強しますね。DNAからRNAに転写され、タンパクが合成されるとか、これも因果律を勉強しています。因果というのは、「因と縁と果」のうち、縁を略したものです。因を略すると縁起、果を略すと因縁になります。結果は起こることですから、縁起という風に言います。この縁起の法というのが、仏教の根本的な立場です。

しかし縁起の法と因果律は、違いもあります。科学も因果律で研究を行います。ところが仏教のほうは信心因果とか随従因果とか不昧因果という風にして言われますけれども、科学的な因果論というのは自然因果と言いまして、科学的な必然であって、自由がありません。ところが、仏教の因果論は必然即自由、自由即必然で、因果の理を自覚してそれに随順することによって人格的自由も形成すると言われます。必然即自由については、あとで説明します。

それから、科学は原因が先で結果が後にありますけれども、仏教的な因果論では同時因果と言って、原因と結果はいつも同時に起こるというのがあります。例えば、おじいさんとお孫さんの年が同じというのはわかりますか。普通はおかしいと思いますよね、だけど、おじいさんになれるのはお孫さんが生まれてはじめておじいさんになれるのであって、お孫さんの年とおじいさんの年は同じです。そういった同時因果を大切にします。もちろん、それは異時因果、原因が先で結果が後というのも含みます。科学的因果律は要素還元主義で、原因や結果を個々のものに還元しますけれども、仏教的因果論は全体作用的、これは『臨済録』にある言葉ですけれども、世界の全体が作用しているという縁起論です。

初期仏教経典である『阿含経』に次のように説かれています。

これがあるとき、それはある。
これが生じるから、それは生じる。（『雑阿含経』にある縁起所生《しょじょう》）
これがないとき、それはない。
これが滅するから、それは滅する。（『中阿含経』にある縁欠不生《えんけつふしょう》）

前二行を縁起所生、後二行を縁欠不生といいます。

縁とは条件が一つに結ばれるということ。起とはこの世に現れるすべての現象、モノ・コト・ヒトを意味します。だからこの世に生起するものはすべて縁起の縁によって生ずる、という意味です。縁によって物事が生じるためには縁（条件）が一つに結ばれることが大事なところです。縁が欠けると物事は生じなくなります。

つまり、あらゆるもの、できた事物はお互いに寄りあって依存しながらお互いに関係しあって成立しているという風に見るわけです。だからすべての存在には固有、不変の本質はなくて、空《くう》であり実体がないと。そういう意味で縁起のことを自性《じしょう》がない（無自性）、だから空（無自性・空）であると。あるいは縁起であるから空である（縁起・空）と表現します。縁起・空については、後で詳しく勉強します。

世界の中の一員である私

そして、縁起というのは、外から見ているようなものではなくて、我々は世界の中にいて世界の一員として働いているという思想です。西洋哲学の勃興期のソクラテスは知識を問題にしました。二元論の創始者であるデカルトは、人間を精神と身体の二つに分けて「我思う、ゆえに我あり」と言って、我を問題にしたり、考えるということを問題にしたりしました。西洋哲学は「私はこう考える」とか、「私はこんなことを知っている」とかいうことになります。ところが仏教哲学は、お釈迦様は知識ではなく世界を問題にした。仏教哲学では「世界はこうなんだ」というわけですね。

東洋の方では我れがあったり、我れを思ったりするのも世界の中のことであるというわけで、

図1　ミラーボールによる縁起の説明図

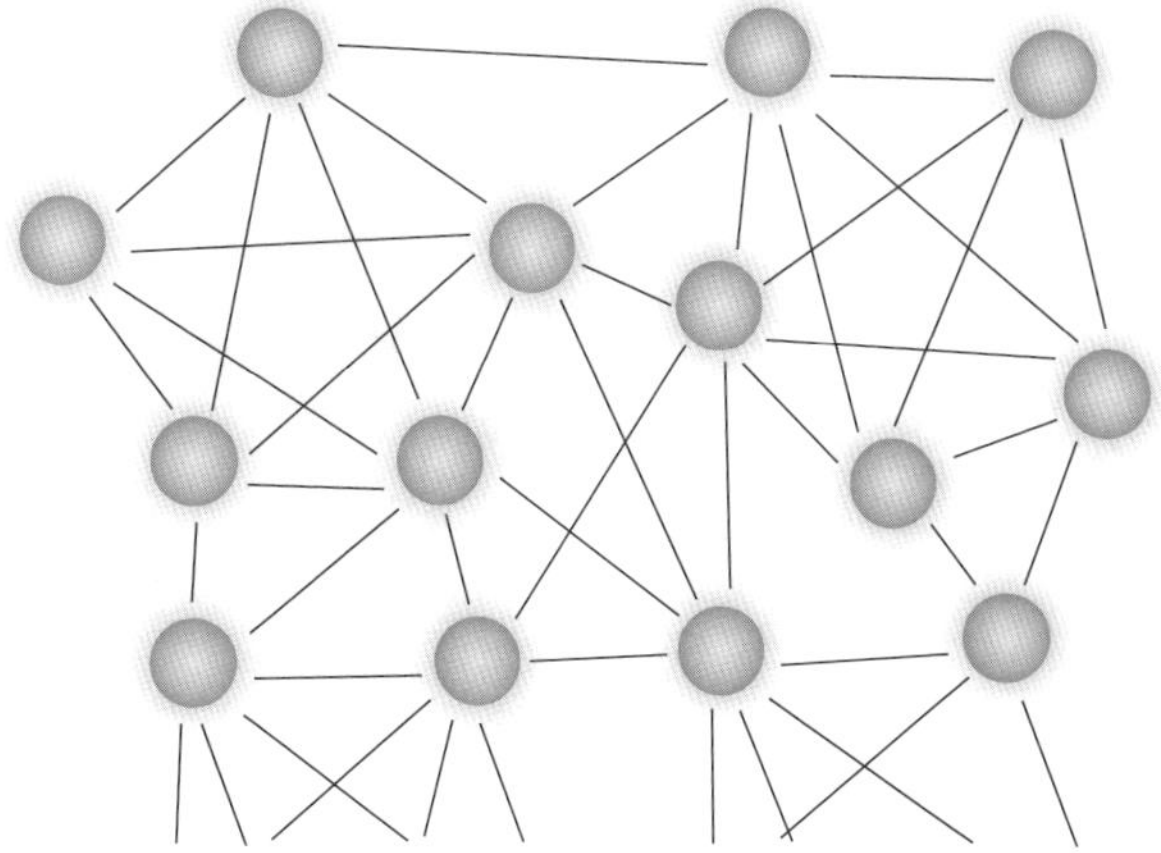

一塵の動きにも世界全体が関係している

我れが生まれ、生きてそこで死んでいくこの世界を問題にしたのです。だから、よくわかった和尚さんが「私はこう思う」ではなく、「こうなんだ」と断言できる根拠はこういうモノ・コトに対する見方、考え方の違いにあると考えられます。「物になって見、物になって聞く」という言葉もあります。お経を読むと如是我聞、此の如く我は聞いた、と文頭に出てきます。聞くと言うことは考えることと異なり相手に語らしめることになります。そのときの相手は世界です。世界が語ることを聞くということですから、「世界はこうなんだ」ということをものになって知ることになります。

鏡でできたミラーボールが無数にあると想像してください（図1）。ミラーボールは関係項、棒は関係性を示します。その一部を仮にＡＢＣＤＥと名付けておきます。これがお互いに映し合ってるわけですね（図2）。物であれば結合したり分離したり関係し合ってるわけですが、鏡ですから、お互い映し合います。これはミラーボールですから、例えばＡに注目するとＡにはＢＣＤも映り、Ｅも映るということになります。さらにＢＣＤＥが映ったＡがまたＢに映る。これをＡ１とすると、Ａ１が無限に関係しているわけです。図２には五つしか要素を描いていませんけれども、要素が無限にあって、お互いに映しあって関係し合っていくという訳ですね。

例えば「一輪の花が咲いているときに世界が開くんだと言えるか」ということを考えた時に、花が咲くために土がなければいけない、水も太陽もなければいけない、それを世話する人もいなければならない、お互いに異なったものが、対立し、時には矛盾しあうものが結合しながら関係内存在するという縁起の法を形成していると説明できます。花と他の世界の関係は、花を一（全体的二）としますと世界は一切（個物的多）、それで一即一切と表現されます。

この縁起の縁の結ばれ方を、哲学的には矛盾的自己同一、または矛盾的相即と表現します。縁起の法は常識的な、日常的な実体論とか要素還元主義とかを認める対象論理とは異なる立場ということになります。

図 2　花と世界の関わりを例として

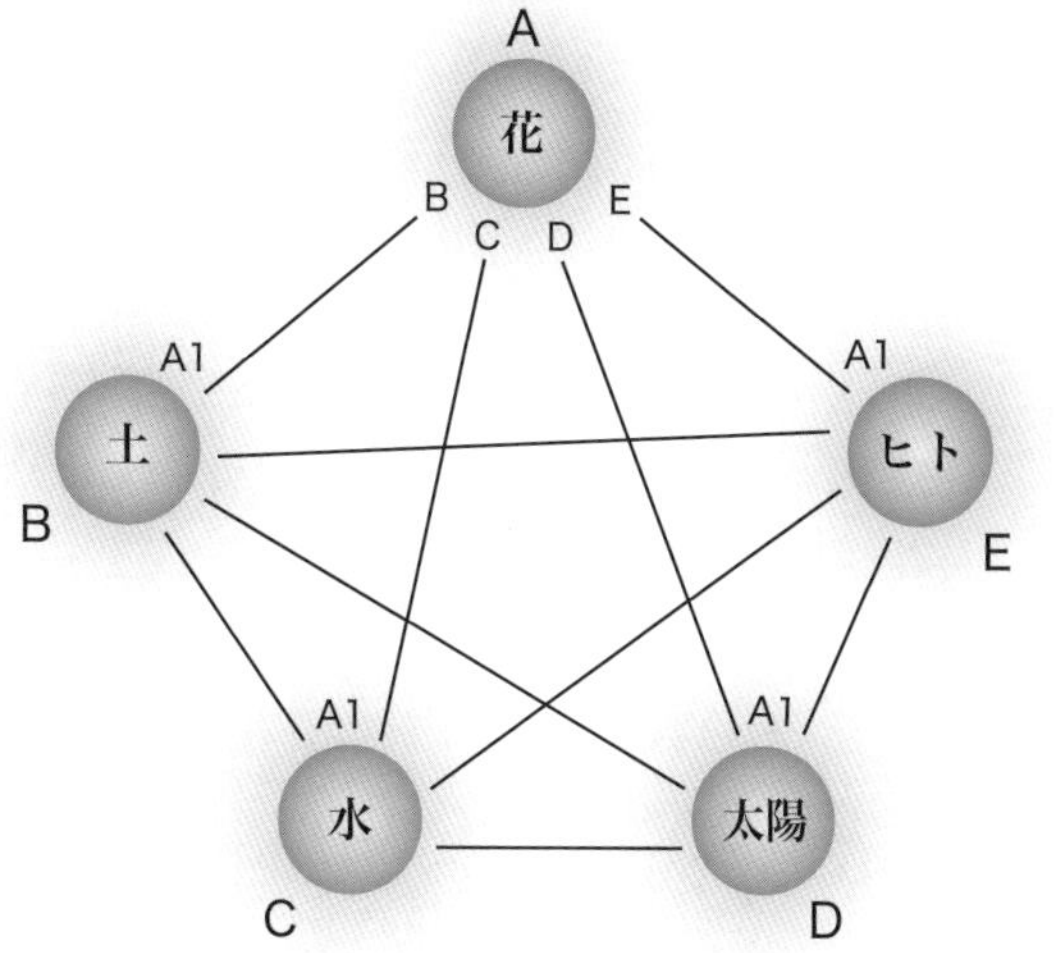

A（花）とBCDE（世界）一即一切

インドラ網互いに影を交えて重々たり（『華厳経』）

ミラーボールは鏡でできた球である。いま A を花，B を土，C を水，D を太陽の光，E を世話係のヒトを示すとする。
まず A（花）を中心にこれらの関係子の構造を考えてみる。A は鏡でできているので，BCDE も映している。逆に A は BCDE にも映っている。その像を A1 とすると花（A1）には A2 の花が咲いていることになる。花を咲かせるために必要な要素のハタラキが加わることを示す。

（清水博先生の図を参考に作図）

西洋論理的な見方

私たちは日常では主観と客観を分けますね。意識と無意識、自我と非我等、二つに、さらにそれ以上に世界を分けて、そういうふうに世界があると考えることが二元論、または多元論。これに対して一元論というものもあります。世界に実在するのはただ一つのもの、乃至ただ一種類のものであるとする立場、辞書にはデモクリトスの唯物論的一元論、世界は物質だけで成り立っているという考え方とか、ギリシャのプロティノスの汎神論的な一元論、神様だけでなっているんだという一元論、というのがあります。

仏教は単なる一元論でも二元論でもありません。二元論というのは、この世界を善と悪、精神と物体、主観と客観、お互いに還元不可能なことを対立原理によって説明しようとする説です。仏教は憶えることでなくて体で感じて心で信じるということが大切なのです。よく不一不二と表現されますが、一でもなければ二でもない。一即多は『華厳経』の言葉ですが、一即多元論の立場が仏教の立場でありまして、仏教は単なる一元論とか単なる二元論ということではありません。

西洋論理では今でもアリストテレスの形式論理というのが根強く残っています。我々が合理

表1　アリストテレスの形式論理とそれを覆した論理

アリストレスの形式論理	記号による表記	形式論理を覆した論理	記号による表記
同一律	A＝A	カントの認識論	A＝B A＝非A
矛盾排斥律	A≠非A	ヘーゲルの弁証法	
排中律 （Aでもなく，非Aでもないものは存在しない）		龍樹の容中律 （Aでもなく，非Aでもないものは存在する）	

的だという時はどういう理に叶っているかが問題ですが、西洋では現在もアリストテレスの形式論理に合っているのが、合理的という意味なのです。

アリストテレスの形式論理は同一律と矛盾排斥律と排中律からできています。同一律というのはAはAであるというものです。それから矛盾排斥律は略して矛盾律と言われることもありますが、実際は矛盾を排除する原理。Aは非Aではない。それから、排中律というのは、中間を排除するということで、単にAでもなく、単に非Aでもないものは無いというのが排中律です。これが今でも矛盾のない考え方として我々が普段使っている考え方（表1）。

しかしこの形式論理はカントの認識論、ヘーゲルの弁証法、仏教の容中律で覆されたのです。まず、カントによって同一律がひっくり返される。A＝Aの説明はA＝B、すなわちA＝（Aとは異なったB）でなければならない。例えば学生さんは免疫学を習うと思いますが、抗体と言うのは抗原という概念を持ってこなければ説明できない。そういう意味でA＝Aというのは意味がないということなんですね。次に矛盾排斥律はヘーゲルの弁証法で逆転されます。弁証法ではテーゼ(正)とアンチテーゼ（反）という矛盾するものが運動しながらシンテーゼ（合）になっていく（一四〇ページ、図1「過程的弁証法の図」参照）。その中に新しく矛盾が生まれてテーゼとアンチテーゼに分離する。さらにそれらが止揚され、というように矛盾を中心とした論理になります。これによって矛盾排斥律は否定され覆されたわけです。排中律を今までひっくり返した論理はないと言われていましたが、仏教八宗の祖と言われる龍樹（四、五世紀）の中論によって覆されました。

形式論理は矛盾を徹底的に排除します。縁起の法は矛盾を排斥するのではなくて、矛盾、対立、異なったものが結合して世界が成立していると説くので、矛盾に対する取り扱い方、考え方というのは全く異なるわけです。

なぜ人は苦しむのか

さて、お釈迦様はコーサラ国のシャカ族の王子だったのですが、ある時お城の外に出てみたら貧乏な人や病気の人が沢山いて、人生は苦しみの連続だと悟ります。二十九歳で奥さんと子供を置いて出家しました。釈迦は苦しみはどうして起こるのか、その苦しみから脱するにはどうしたらよいのかと考え、禅定に入って縁起の法を悟りました。

仏教の教えで四聖諦《ししょうたい》というのがあります。苦集滅道を四聖諦と言いますが、人生は苦であって（苦）、その苦が起こる原因は渇愛である（集）。渇愛を滅する方法がある（滅）、それを八正道（道）という、これが苦集滅道の四聖諦になります。すべての苦は縁起で解決します。苦を絶するためには、集（渇愛）を断ずればいい、そして、渇愛を滅するためには八正道を実践すればいいと説きます。

仏教教理の特徴をあらわすものとして、四法印があります。四法印とは諸行無常、諸法無我、一切皆苦、涅槃寂静の四つの項目をいいます。まず仏教は一切皆苦、すべて苦であるということを明らかにするというわけですね。四苦八苦と言います。縁起ゆえに無常ですね。諸行無常の行とは、この世にあらわれたもの、作られたもの、それらはすべて無常で、形態がとどまることなく変わってゆくと。そして、諸法無我は全てのものは無自性・空だということですね。これも全部縁起から考えれば分かることです。

苦しみが起こる原因は、まず無明、間違った考え方、真理を知らないこと、煩悩です。そしてその煩悩に随って行動し（行）、いろいろな識（識別作用）をおこします（一〇一ページ、図4「十二因縁図」参照）。名色というのがありますが、対象世界という意味で辞書には書かれています。名というのは、名付けられた対象世界、私たちは物に対して名前をつけて、名前を呼びますが、名前というものは、絶対的な存在を、存在の世界に引きずり下ろす様なもので（井筒俊彦）、名前がついたら、名前がつけられたようなものがあるように勘違いしてしまいます。そういった錯覚（名色）をおこす。本当は名前もつけられないような宝ものです。そういうものを眼耳鼻舌身意の六根で取り入れます（六入処）。そうすると、取り入れた情報が感覚と接触して（触）、そこに苦とか楽の感受作用（感）が生まれてきます。対象が楽であれば対象への渇愛になりますし、対象が苦であれば、それから逃げようとします。愛と取は対象への執着ということになります。有、生、老死と生存への欲求（有）、生むことへの欲求（生）、そして結局生まれたら苦しみがあって、特に老いたり（老）、死んだり（死）するのは苦しみの原因だということを感じます。このようにして苦が生まれるように原因、結果、原因、結果というように因果の連鎖が起こります。これを順環と言います。縁起で、苦が起こるのなら、苦を解脱するにはどうしたら良いか、無明を捨てる、無明を解決して本当の考え方になれば良いのだと。そうすると行いも正しくなり、識別作用も無分別の分別になるということでして、対象への執着とか渇愛、分別などがなくなり、苦しみもなくなり、そういう学びのことを「逆観」（順観の逆回り）と言いますが、そういうことを悟り、お釈迦様は仏になりました。

矛盾的相即の論理

世の中は矛盾したもの、相反するものが結合してできております。例えば教育ですが、教える先生と教えられる学生さんがいて教育が成り立ちます。教官と学生さんは、違うものです。相反するものですけれどもこれが一つに結びついて教育という活動が起こります。この場には医学部の学生さんもいますけども国家試験に通ると医師になれるかというとそうではなくて、患者さんがきて初めてお医者さんになれる。医者というのは患者さんに根拠をもって医者であるということが、そのうち「こういうことか」とわかってくると思います。

当たり前のことのようですけれども、大事なことは、矛盾対立するお互いのもの、対立するものがお互いに相手側に根拠をもって成立する、だからお互いに異なっているけど分けられない、一つだけれども同じでないという論理構造になっています。

この論理は、関係するものどうしが「異なっているけど分けられない、一つであるけど同じでない」という構造であるということを在野の仏教哲学者・中山延二博士が明らかにしました。異なっているけど分けられない、一つだけれども同じでないという関係、これを哲学的には矛盾的相即の論理と言います。矛盾したものが相即しているといいます。こころとからだは異なっているけど分けられない、こころとからだは一つだけれども同じでないことも、その例です。

矛盾的相即は、テトラ・レンマという論理でもあります。皆さんはジレンマ（より正確にはディレンマ）という言葉はよくご存じでしょう。ハムレットが「生きるべきか死ぬべきか」というジレンマに陥るわけですが、ジというのは二という意味で、レンマというのはロゴス（論理）に対する言葉で、把握するという意味です。物事をつかむ、直観するということです。物事をつかむのに二つのつかみ方（選択肢）しかないのがジレンマです。Aか非Aかという。イエスかノーかと二者択一を迫るのがジレンマですね。テトラ・レンマというのは、四通りの把握の仕方という意味で、仏教では、古くから四句とか四論とかいわれていました。

皆さんは病院にかかったときに問診票がジレンマで書かれていて返答に困ったことがありませんか？　テトラ・レンマの方は、日常的なジレンマに加えて、単なるAでもなく、単なる非Aでもないと、両方に対する否定（両否定）が選択肢として加わる。最後に四つ目のレンマとして、Aでもあるし、非Aでもあるという両方肯定（両肯定）が選択肢として加わる。ジレンマに新しく二つのレンマを加えてテトラ・レンマと言います。これは、皆さんよく考えてみたら面白いと思う。

また、矛盾的相即は否定を媒介にします。京都学派の西谷啓治先生のお弟子さんである上田閑照先生は、最近『私とは何か』という著書を岩波新書に書かれました。そこで、私は、私ならずして私である、というテーゼを提出しておられます。私は私だけで、私であるのではないということです。それから、『金剛般若経』には「一切法即非一切法、是故名一切法」という言葉があります。これは非常にわかりにくいと思いますが、馬を例にしますと、一つの解釈はですね、馬即非馬（一切法即非一切法）、馬は馬でないものがあるから、馬なんだと。だから、馬と名付けるんだということです。

一切法ですから、全てのもの、馬でも牛でも人間でもいいんですけど、何でも、それでないものがあるからそれなんだ、そういう論理なんですね。

さまざまな矛盾的相即の例

矛盾的相即的関係の例を表2に示します。

自然界でも矛盾的相即というのはあるわけです。光は粒子の性質と波動の性質を両方もっていてそれを相補性といいます。皆さん知ってると思いますが、粒子というのは非連続です、それに対し波動は連続です。非連続と連続は相矛盾することですがそれらが光として、一つになっているわけです。時間と空間は違いますけれども、アインシュタインが時空という一つの

表2　矛盾的相即的関係の例

世界の根本構造の例	時間と空間，絶対と相対，永遠と刹那，無限と有限，アナログとデジタル，必然と偶然，原因と結果，有と無，光の粒子性と波動性など
哲学の例	形相と質料，自と他（他我問題），精神と身体（身心問題）など
宗教の例	神と人間，仏と衆生，本覚と始覚，阿弥陀仏と凡夫，生死と涅槃，煩悩と菩提など
世の中の例	聞くと話す，教えると習う，売ると買う，能動と受動など
自然の中の例	生と死，N極とS極（磁石），遠心力と求心力，溶質の溶解など
人体の例	呼吸，運動神経と自律神経，交感神経と副交感神経，同化と異化，免疫学的自己と非自己，屈筋と伸筋，緊張と脱力など
こころのアンビバレンツの例	愛と憎，独立と依存，自信と絶望，満足と不満足，安心と不安，喜びと心配など

概念を打ち出しました。物理では作用と反作用、必ずペアになって起こります。化学では、酸化と還元、電子のやり取り、必ず受け取る側と放出側がありますので同時に起こります。逆の方向ですね。

生物では、呼吸、心臓の収縮と拡張、代謝の同化と異化、これもペアですね。また私たちは生きていると言いますよね。生きているというのはなぜかというと死ぬからです。死なないものは生きているとも言わないわけです。生死一如（一如は相即関係の古典的表現です）ということは生と死との矛盾的相即だということです。生と死の相即とか生即死と呼ばれます。それから神経の分極と脱分極、免疫の自己と異物、こういったものはみんな矛盾的相即。おたまじゃくしのしっぽが消えてカエルになるのも、アポトーシスという細胞の死によって、個体の生が保証されていると言うわけで、「生と死は異なっているけど分けられない（二つで一つ）、一つだけども同じではない（一つで二つ）という関係になっている」ということが分かると思います。

解剖学では構造と機能という勉強をしますが、構造と機能は密接に関連しあって一つですけれども同じでない、異なっているが分けられないという相即の関係になります。

心療内科学の哲学的基礎になると思いますが、精神と身体はどういった関係かと言いますと、身心一如と言われるように精神と肉体は矛盾的相即関係にあり、異なっているが分けられない、一つだけれど同じでないという関係になっています。この関係は次のように表現する方が分かりやすいかもしれません。

「異にして分かつべからず」は「二つに分かれているということ、そのことが同時に一つに結びついていると説くこと」。「一にして同ずべからず」は「一つに結びついているということ、そのことが同時に二つに分かれているということ」。さらにこの関係をもっと略すれば「二つが一つ、一つが二つ」となります。

また、精神的な問題だとアンビバレンツということがありますね。アンビは二つ、バレンツは価値という意味。日本語では両義性と言われますが、ある対象に対して、同時に愛と憎しみを感じる場合があります。それをアンビバレンツと言います。普段私たちは愛を感じるときには憎しみが隠れているわけですね。憎しみが出てくるときには愛が隠れている、どちらかしか外に出しませんけれども、両方パッと表に出てくるときがあります。愛する人に裏切られた時とか、そんな時にアンビバレンツを感じます。こころには異常を感じ不安になりますが、こういうことは自然現象というか当たり前のことなんです。どちらか矛盾する方の一方が表に出る時には、一方は隠れているのが普通でありまして、「一方を証するときは一方はくらし」(道元)と言いますが、両方が同時に表面に出る時にアンビバレンツが起こるということを皆さん知っておかなければなりません。

哲学的に最も大事なのは、有と無の問題です。サルトルは「無」というのは欠如という風に捉えますが、仏教では違います。縁起に依って無、という風に捉えます。欠如という風にはとらない訳です。また、能所不二という言葉があります。能というのは「する」(能動)、所というのは「される」(受動)です。能所不二というのも、する方とされる方が一体になっているということです。なぜなら能は散髪屋さんが自律的に「する」と同時に、一方、所は他律的に散髪「させられる」。散髪されるお客さんの方からさせられている自己を思うからです。能所不二はのちに自覚の形式の問題とつながります。光と影、「松影の暗きは月の光なり」という古句がありますが、松影が暗いのは月の光が明るいから、月の光が明るければ明るいほど、松影は暗くなります。デッサンを勉強された方は光を描こうとしてうまく描けないとき、影を描いたら光が描けたという経験がある方もいるかと思います。

それからもう一つ、パラドックスということを知っていると思います（表3）。一見、真実でないようだけども、よく考えてみると真実が含まれているというのがパラドックスです。攻撃は最大の防御なり、という言葉があります。だけれども、攻撃には攻撃するという意味しかありませんし、防御には防御という意味しかありません。しかし実際は攻撃することは防御になり、防御することはまた攻撃になるということがあります。

表3　パラドックス（逆説）の例

急がば回れ
負けるが勝ち
放てば手に満つ
貧しき者は幸いなり
攻撃は最大の防御なり
汝の敵を愛せよ
過ぎたるは及ばざるがごとし
可愛さ余って憎さ百倍

実際の試合、例えば柔道のような格闘技でもサッカーや野球などの球技でも、攻撃と防御という対立した内容を同時に、同一人物で行っています。攻撃と防御は異なっているけど分けられない、一体になっているけど同じでないので矛盾的相即の関係です。

それから「急がば回れ」、宗教的には「放てば手に満てり」、手を握り締めるとそれだけしか握れないでしょ、手を開けば世界中が手に乗ってくるよという言葉ですね。以上の例は、お互いに矛盾的関係にあるものはお互いに反発しあうものと思いがちですが、具体的な現実においては、矛盾するものが結合しているのが真理であることを示します。こうした特に宗教的な言葉の中にはパラドックス的な表現がありますが、ある人はパラドックスこそ真理を表すものだと言います。私もその通りだと思います。

仏教はなぜ分かりにくいか

宗教を言葉で表すのが難しいのは、なぜでしょうか。それは、言葉は一つの意味しか持ちませんが、矛盾は二つ、またはそれ以上のものが結合して現実の世の中が成立しており、矛盾或いは結合する物が片方だけ記載されると、とたんに具体性が消失することになるからではないでしょうか。この矛盾的相即の論理は、聖者も知ることができない、仏も言い表すことができないという風に言われています。

表4に仏教が分かりにくい理由を挙げてみました。古典的表現は多くあるが、的確な論理的な表現が見つからなかったということがあります。「不一不二」とか「生死一如」とかですね、「迷悟同一、修証一等、身心一如、仏凡一体、事事無碍《じじむげ》、理事無碍《りじむげ》」などです。また、中道とか非連続の連続とか無分別の分別、即が付いた熟語、そういう言葉は古典的表現であって、論理

性が不十分のような印象を持たれてしまうというわけですね。迷悟同一、修証一等、身心一如、仏凡一体などは、「二」を使って「即」に近づいているが、一元論的意味が強く意識されて即の本来の意味に至ることができなかったと考えられます。

その他に、理と事、煩悩と菩提、生死と涅槃、一と多などの対語は矛盾的相即の概念が確立する前から使われてきた対となる仏教用語です。隠顕倶成、隔法異成、託事顕法（これらは華厳十玄にある語）は、矛盾的相即の意味を持つが矛盾的相即への言及がなかった例です。

また、不一不異など否定型で表現された語句。非連続の連続（いのちのつながり方）、無知の知（クザーヌス）、無相の相、無念の念（『白隠禅師坐禅和讃』）など否定と肯定が「の」で結ばれた形式の語句。中山延二先生に発見された相即として、『参同

表4　仏教はなぜ分かりにくいか

- 仏教用語（専門用語）が本来の意味を失っていて、人は本来の意味が分からなくなっている。
- 古典的表現が多く、論理的研究を妨げた。「即」に近いが「即」ではないことが多い。
- 空は色即是空。空がひとり歩きして、色がそのまま空のすがたであることが分かりにくい。
- 仏教の立場は縁起・空で考える。我々衆生は、この立場に立って考えることがなかなかできない。
- お経は「亡くなった人々を供養するためにある」と多くの人々は理解している。
- お互いが矛盾を媒介にして、相即という形（形式）で結びつき、矛盾が駆動力となって世の中が動いている。
- お経はどうせ分からないものと思い込んでいる。

契』の参（多）と同（一）の結合（契）があり、臨済宗が用いる公案の公と案の相即関係があります。

親鸞聖人が使われた広略相入の広は延言（呼ぶが呼ばふ、老ゆが老いらく）、略は略言（あさあけをあさけ、うらうらをうらら）。

このように、矛盾的相即の概念が確立される以前、概念的格闘がなされた歴史があったことを教えてくれます。

その論理性を即を使って表したのが、中山延二先生であり、矛盾的自己同一といったのが、西田幾多郎先生です。西田哲学というのは非常に難しくて手に負えないんですけれども、西田先生の哲学は仏教を基にしておりますので、この矛盾的相即、矛盾的自己同一という論理が仏教論理であることが分かれば、西田先生の論文が少しずつ読めてきます。

それから、顧みられなかった仏教の教えもあります。『華厳経』は、お釈迦様が悟った、その悟りの内容を相手がわかろうがわかるまいが、すべてを出して悟りの内容を説明しました。だから、これは内容が非常に難しいです。しかも『華厳経』を教えとするのは奈良の東大寺で、毘盧遮那仏がご本尊です。東大寺の大仏様は見に行くけれども、この『華厳経』を読んでいる人はまずいないと思います。このお経というのは非常に長くて、難しくて人間が七回生まれ変わって勉強してもわからないと言われています。それから、『阿含経』もですね、これは小乗仏教のお経だということで、軽んじられております。ところが、この『華厳経』にせよ、『阿含経』にせよ、お釈迦様の生の声、悟ったあとの意気盛んな説法、真理を述べ伝えていた時の勢いが伝わってきて非常に素晴らしい。それからは日本に入ってきた仏教が盛んになりますけれども、やはり私たちはこの縁起の法が説かれた『華厳経』や『阿含経』をちゃんと読まなければいけないと思います。勿論、道元禅師や親鸞聖人も素晴らしい教えを残してくれています。

仏教には、たくさんのお経や宗派がありますけれども、ほとんどが、即という表現を使っていろんな説明をします。仏教に共通の論理といえば、矛盾的相即、即の論理です。『華厳十玄』という、『華厳経』を分かりやすく説明したものがありますけれども、ここにも相容（相即の意味で使われている）、隠顕倶成（隠は理、顕は事。理事無礙に通じる）、託事顕法（事に託して法が顕れる）、隔法異成（異なったものが異なりながら、物事が成立している）などのとても哲学的に深く、相即を意味する言葉があります。相がついた二字熟語はたくさんありますが仏教書に出てくる相には「すがた」という意味もあります。

二つのモノ・コトの間で関係の対立が一番厳しいのは矛盾の関係、これには論理的に相手を倒すというきびしさがあります。次に厳しいのは対立を意味する相剋などがあり、異なり方が最も緩い関係には相違が在ります。即の関係を表すのは相反するものの対立が多いですが、即の関係には相手の登場を待つ、相待と言う関係もあり、即の関係の拡がりを示唆します。

一番身近な『般若心経』も、単なる空を説いたお経ではありません。「色即是空、空即是色」を説いたものです。色そのものが空であるということが即の論理です。苦からの解脱のための縁起の法は、世界成立の真理なのです。

おわりに——自己と自覚

最後に、自己と自覚と即の論理ということでお話をしたいと思います。特に若い人に伝えたいのですが、自己をめぐる禅問答というのがあります。ある日、雲巌曇晟《うんがんどんじょう》というお坊さんが一人でお茶をたてていました。そこに先輩の道吾円智《どうごえんち》が通りかかり、曇晟を見て次のような問答が行われました。『伝燈録』に出てきます。

「問う、煎じて誰に与う（そのお茶を煎じて誰が飲むのか）」と先輩道吾が問います。

曇晟は、「一人欲するあり（一人飲みたいという奴がおってなぁ）」と答えます。

さらに円智が「なぜ彼にお茶をたてさせんのか」とたたみかける。

すると曇晟が「幸いに某甲《それがし》があるなり（たまたま私がいるからなぁ）」と言うわけです。

二重人格の話のようですが、これが自己の中にある絶対者と自己との対話といいますか、そういうことを対話として成立させているんだろうと思います。西田先生は、我々の自己の奥底には、どこまでも意識的自己を超えたものがあると言われます。これは我々の自己の自覚的事実であるということです。「絶対の他」という語を使って言うこともあります。意識的自己を超えたものです。臨済録には「赤肉団上に一無位の真人有り、常に、汝ら諸人の面門より出入す。未だ証拠せざる者は看《み》よ看《み》よ」とあり、まだそれ（一無位の真人）を看ていないものは看なさいと激励してくれます。

それから三宝教団の安谷白雲老師は、「仏が凡夫の夢を見てうなされているのだからどうしても目を覚まさなければならない」とユーモアたっぷりに的を射たことを言っております。パウロはですね、「我は生くといえどももはや我にあらず、キリストこそ我において生き給うなれ」という言葉を遺しております。イエス・キリストと我と一体になったということですね。宗教の最高峰の境地に到達しています。

「自ら」は、おのずから、とも、みずからとも読めます。おのずからは〝セルフの自己〟、みずからは〝エゴの自己〟という風に一応区別されます。無の境地というのは、おのずからの自己が生き生きしている状況だと思います。二人の自己が異にして分かつべからず、一にして同ずべからず。二つで一つ、一つで二つということで自己が形成されていきます。教育のことも、相即の哲学から考えていくと更なる発展がみられるのではないかと思います。

ここに『伝心法要』（黄檗希運禅師の語録）とか『盤珪禅師語録』とか西田先生の著作があり

ますが、これら宗教者の自覚（悟り）の到達点は最高峰ですね。自覚の論理の形式というのは表現するものと表現せらるる（される）ものとが一つであるということであると。これが世界の自己表現の形式であると。これは絶対矛盾的自己同一ですね。表現するものと表現せらるる（される）ものとがある、二つで一つである。で、自覚においてはですね、知るものと知られるものとが一つである。だけど、自覚においては知る主体と、知られる相手とが自分になるわけです。そういうことを自覚しないと自覚にならないというわけです。それから、盤珪禅師が尼さんに送った手紙で、本心を知るものと知られる本心が、二つでないということを信仰しなさいと書き送っています。『伝心法要』は見性について、見、性を見る、性、見を見ると。あくまでも対象的に物を見るのではなくて、見るものと見られるもの、知るものと知られるもの、「本心を知るものと知られる本心とが一つだということを自覚しなさい」ということを言っております。

仏教論理は納得されましたか？　全然わからなかったということはないと思います。もし難しい話を聞いて全然わからなかったと蓋をする習慣があるのなら、それにさようならをして、わかるまで考えたり本を読んだりして、少しずつ自分のものにして下さい。わからないのは、縁起の立場と常識の立場が違うからでしょう。それと私の説明が下手だからです。（会場笑い）

最後に、「吾有時」というのがあります。これは道元の『正法眼蔵』に「有時の巻」というのがありますね。存在は時であるというのですが、それに我がくっついていますと、「吾有時」であると。この意味がよくわからなかったんですけれども、次の歌に出会ってわかりました。

「世の中は、ここより他になかりけり、他所には行かれず、脇にはおられず」

何か、苦しいことがあると逃げたくなりますね。どこか行きたいなとか。だけど、他所にも行かれんと、脇にちょっとどけたいと思うけど、脇にも避けられない、というわけですね。吾とはここから離れられないのだという。これを時間的に言いますと、

「世の中は今より他になかりけり、昨日は過ぎつつ、明日は来たらず」

だから、今ここが大切だということはよく言われることだと思いますけど、こういう短歌で理解していただけたかなと思います。これで私の話を終わりたいと思います。

◆講演のあとの質疑応答

司会・井口　大変有難うございました。ここをもう少し聞きたいということがあれば、どうぞご質問ください。

質問者1　まずアリストテレスの形式論理のところで、同一律A＝Aのお話があったんですけれども、そこで凡例で出てきた免疫学の抗原抗体のところが、ちょっと僕の理解が深くなくて、もう少しお話をお聞きしたいです。

吉田　例えば抗体の説明をするのに、抗原という概念をもってこないと抗体という概念を説明できないと言っているのです。抗体は抗原に対して作られるのですから、抗原という概念を持ってこずして抗体という概念の説明は成り立たないのです。アリストテレスが生きているとして「抗体は抗体である」といくら言っても説明にならないでしょう。何に対する抗体か、何に対して出来るのか。それは抗原という概念があって、異物や非自己という概念があって、異物が生体に侵入すると免疫学的に異物を認識して抗体をつくるという免疫が作動するというようなこと。相手方に根拠がいつもあるわけです。だから、抗体の根拠は抗原にあると。

質問者2　九州大学医学部二年生です。対人関係など、あるいは国同士の関係だとか、何か二つのものの関係の中に宗教を持ち込んでも有用なのか、お考えをお聞きできればなと思います。

吉田　仏教がいいかイスラム教が正しいのか、キリスト教がいいのかという論理よりも、正しい宗教とは何かということを根本的に考える必要がやはりあると思います。そこから問い直して、ほかの宗教のことも考えて、仏教のことも考え直したらいいと思います。やっぱり、対人関係とか言われますけれども、問題は、知恵と慈悲の問題ということになると思うんですよね。仏教は特に禅というのは正しい知恵を持ちなさいと言うわけですよ。最初から無明に被われているのはダメで。そのあと慈悲が出てくるということだと思うんですね。やっぱり正しい知恵がないと共同作業とか、苦しい人を助けるとか、なかなか本当にはできないと思うんですね。知体悲用《ひゆう》という言葉があります。知恵の知が体《たい》ですね、慈悲の悲が用、用いる。やっぱり私は知恵が先だと思っています。

質問者3　仏教理論というのは思想なのでしょうか。宗教なのでしょうか。お話を聞いたら、思想なのかなという感じがしましたが。

吉田　早速、仏教理論は思想か宗教か、とジレンマで来ましたね。しかし、あれかこれかのジレンマでは答えられない。こういう時にこそあれかこれかのジレンマで終わるのではなく、テトラレンマの相即の論理が必要になります。「仏教は単なる思想でもなければ、単なる宗教でもない」（両否）、「仏教は思想でもあるし宗教でもある」（両肯）という答が最も具体的な正解ということになります。仏教論理を正しく知るという知性レベルのはたらきと、自己の根柢から自己の罪障を知るという宗教的霊性レベルのはたらきが、それこそ矛盾的相即であって、「お互いに異なっているけど分けられない、一つだけれども同じでない」関係だと思います。

質問者4　お話有難うございます。九州大学法学部二年生です。全体的に、話を聞いて、認識とか理解とか識別っていうものの限界を知るということが大事なのかなという印象を受けたのですが、それを突き詰めると、アパシーとか無感動っていうワードが浮かんできて、認識を諦めることにつながるというか、結局何も得るところがないのではないかと思ってしまいました。僕は仏教を何も知らないですけど、結果的に悟りを開いたら人間ではいられなくなるという理解に落ち着いたんですがそれで大丈夫なんですか。

吉田　煩悩にこだわる生き方する人と、煩悩から解脱した人は人格的に違いますし、生き方も違ってくると思います。それから西谷啓治先生が、自我の根底には必ず虚無主義（ニヒリズム）があると言っているんだけれども、さっきのアパシーとかいうのも結局、自己の問題を解決してない、または己事究明がやられていないと思うんです。縁起的に考えたら、自我があるというのも妄想です。それで妄想を基に考えていると必ずニヒリズムになってアパシーになるんですよ。だって根拠のないことを基に考えようとしているから。だから、世界から考えるということですね。自分が認識したり、識別したりすることも世界において認識したりしているわけでしょ。だから、この世界というものの真理、世界の成立の真理というのを考えることが大切です。

質問者5　高校で理科を教えています。「情けは人の為ならず」という言葉がありますが、これは理論で説明できたわけではありませんが、なんとなくそういうことがあるなあということを我々は感じているわけで、そういったものを言葉で表現すると、因果というのでしょうか、縁起というのでしょうか？　生徒に教えておりますと、理論で説明できないけど、「ある」っていうことは一杯あるわけで、それを捉えるものとして因果というものがあるようなことを僕は言ってきたのですが。

吉田　因果と縁起の起源は同じ因縁果です。情けということになりますと、自然科学的な因果律だけでは説明できないですから、仏教的な因果論で、縁起的に考えることが有効だと思います。「インドラ網互いに影を交えて重々たり」という言葉があるんですけれども、先程もミラーボールで説明しましたけれども、我々一人ひとりがミラーボールでもあり、それがお互いに関係しあってるんですね。だから、例えば引きこもりになったら何か一つの原因を探す原因探しになったりしますけれども本当は、例えば犯罪者だって一人だけが、罪を犯した人だけが、悪いわけじゃないでしょう。周りの人いくらでもそれに関連している人はいるわけでしょう。で、実際に実社会でなにか、科学とか、それから犯罪捜査で原因究明する場合、どうしても要素還元主義になってしまいます。幾つかの要素を取りあげると他の要素を捨ててしまう、いわゆる捨象してしまう。捨象するということは抽象的になって、具体的でないということですね。ものは全体作用しているということが、本当で。だから、本当の原因はモノ・コトのレベルでは分からない。検察はそこで打ち切って、分からないことを捨象して、これが原因だと言っている。

質問者6　九州大学医学部二年です。仏教の立場に立ってみると、死生観に大きな影響があると思います。それで、仏教の立場から見た時に、死というようなものを言い表した言葉とか、そういったものがあったら教えていただきたく思います。

吉田　「死んで生きる」という言葉があります。その死んで生きるという場合の「死んで」というのは、お葬式を出す死というのではなくて、自我が死ぬ、ということなんです。わがままな、みずからなる自己ですね。そういったのが死んで、「おのずからなる自己」が蘇るという無我が、生きていく上では大切なんです。実際に死んでいく人は沢山いるわけで、年間五千万人くらいの人が、実際地球上で死んでいるわけですよね。その人たちは、やっぱり私たちの手本ですよね。私たちも将来ああいう風になるんだと。井口先生みたいに九十四歳でも元気な人も例外的にはおられますけれども。老いて死んでいくんだということを、リアリティとして僕たちに教えてくれるんですよね。患者さんを先生として学ぶという態度が若者には必要になると思うんです。医学部の学生さんはこれから患者さんの死に寄り添うことが多くあると思います。そこでなにを感じるかですね。病床にある患者さん、死にゆく人に寄り添えるか、死を受け入れることができるかということになります。死ぬということが怖ければ、死ぬ人の傍には居れませんよ。怖くて、逃げ出したくなります。だけど、自分の死を解決していると、共に寄り添ってあげようと、死ぬまで寄り添ってあげようという気持ちになります。

司会・井口　若い方から色々と質問が出て、ああ昔と少しも変わってないなと敬服しました。吉田先生とはいつも話しているんですけれども、人間というのは自分というものを知りたいと日々探究します。しかし、そうすると自分というものの難しさが出てくる、とめどもない自分の中の矛盾と向き合わなければなりません。そして人間が探究し歩む道というのは、世界といかに調和するのかということに尽きます。仏教はその知恵ですね。矛盾も相反するものも包み込む深い教えです。日本はものすごく恵まれています。東洋の思想と西洋の思想と全然違います。私も長年生物学を勉強して、気が付かなかったことがわかるのではないかとやってきましたが、九十五歳ですよ。病気のための医学は必要だけれども、それだけにとらわれてはダメで、若い皆さんには人間のための医学をしていただきたい。今日は有難うございました。

（司会をしていただいた井口潔先生は、二〇一八年九月十八日に逝去されました。）

『般若心経』の勉強会

入門

ここに『般若心経』と一般に呼ばれているお経があります。『摩訶般若波羅蜜多心経』という名前は漢字が難しく長いので、『般若心経』または『心経』や『経』と略されます。この経は漢字二六二文字で成り立っていてとても短いですが、仏教の真髄が説かれており、初めて経を勉強される方々には好適な経と言えます。日本では臨済宗、曹洞宗、天台宗などの禅宗、真言宗などで日常お勤めや法事の際にあげられている経です。この経にはこれからの勉強会に使う小本と、それより少し長い大本と呼ばれる版があります。小本は法隆寺に、大本は奈良の長谷寺に保存されています。

これまで『般若心経』の注釈本は百種類以上も出版されているらしく、その注釈本をさらに注釈する本が出版されており、『般若心経』の人気ぶりが伺えます。『般若心経』の全文を掲げ

摩訶般若波羅蜜多心経《まかはんにゃはらみたしんぎょう》

観自在菩薩《かんじーざいぼーさー》　行深《ぎょうじん》般若《はんにゃー》波羅蜜多時《はーらーみーたーじー》　照見《しょうけん》五蘊《ごーおん》皆空《かいくう》　度一切苦厄《どーいっさいくーやく》

舎利子《しゃーりーしー》　色不異空《しきふーいーくう》　空不異色《くうふーいーしき》　色即是空《しきそくぜーくう》　空即是色《くうそくぜーしき》　受想行識《じゅーそうぎょうしき》　亦《やく》

復如是《ぶーにょーぜー》　舎利子《しゃーりーしー》　是諸法空相《ぜーしょーほうくうそう》　不生不滅《ふーしょうふーめつ》　不垢不浄《ふーくーふーじょう》　不増不減《ふーぞうふーげん》

是故空中《ぜーこーくうちゅう》　無色無受想行識《むーしきむーじゅーそうぎょうしき》　無眼耳鼻舌身意《むーげんにーびーぜつしんにー》　無色声香味触法《むーしきしょうこうみーそくほう》

無眼界乃至無意識界《むーげんかいないしーむーいーしきかい》　無無明亦無無明尽《むーむーみょうやくむーむーみょうじん》　乃至無老死《ないしーむーろうしー》　亦無老死尽《やくむーろうしーじん》

無苦集滅道《むーくーしゅうめつどう》　無智亦無得《むーちーやくむーとく》　以無所得故《いーむーしょーとくこー》　菩提薩埵《ぼーだいさったー》　依般若波羅蜜多《えーはんにゃはーらーみーたー》

故《こー》　心無罣礙《しんむーけーげー》　無罣礙故《むーけーげーこー》　無有恐怖《むーうーくーふー》　遠離一切顛倒夢想《おんりーいっさいてんどうむーそう》　究竟涅槃《くーぎょうねーはん》

三世諸仏《さんぜーしょーぶつ》　依般若波羅蜜多故《えーはんにゃはーらーみーたーこー》　得阿耨多羅三藐三菩提《とくあーのくたーらーさんみゃくさんぼーだい》　故知般若《こーちーはんにゃー》

波羅蜜多《はーらーみーたー》　是大神呪是大明呪《ぜーだいじんしゅーぜーだいみょうしゅー》　是無上呪是無等等呪《ぜーむーじょうしゅーぜーむーとうどうしゅー》　能除一切《のうじょーいっさい》

苦《くー》　真実不虚《しんじつふーこー》　故説般若波羅蜜多呪《こーせつはんにゃはーらーみーたーしゅー》　即説呪曰《そくせつしゅーわつ》　羯諦羯諦《ぎゃーてーぎゃーてー》　波羅《はーらー》

羯諦《ぎゃーてー》　波羅僧羯諦《はらそうぎゃーてー》　菩提薩婆訶《ぼーじーそわか》　般若心経《はんにゃーしんぎょう》

ましょう。

『般若心経』にどんなことが書いてあるか、ご存じの方はおられますか。内容をご存じでもそれを人に説明するのは大変難しいです。私は高校二年生の時に、悟りきった和尚さまと出会ったものの、少しばかり仏教が分かるのに五十年ほどかかりました。分からない間は、お釈迦さまにも、和尚さまにも出来の悪い弟子として申し訳なく思っていました。ですから、「悟れないのはホトケの恥」「見性せざる人の多智広学は正法のあだなり」（『塩山和泥合水集』）などの先達の叱咤激励を目にすると今でも和尚さんの気持ちを察して冷や汗がでます。

このような本を書こうと思ったのは、病院のスタッフや、患者さん母子に『般若心経』の話をする時、適切なテキストがあると助かると思うことがしばしばあり、私が思うようなテキストはないものかと探していました。その際、細菌学者として『般若心経』を論じることのユニークさに気づき、自分でテキストを書いたら面白いものができるのではないか、共感してくれる方もおられるのではないかと気づいたのがきっかけです。でもこの本は細菌学の本ではなくて、内容的には西田幾多郎先生、中山延二先生や本多正昭先生（産業医科大学・哲学初代教授）の言葉の引用が多い哲学的宗教的色彩の濃い本になりました。このことは私がこの三人の先生から強い影響を受けたことと、私自身まだまだ未熟で本当のことが分かっていないことを示すものです。本多正昭先生はよく、「即の論理はこれで分かったとはとても言えないほど深い哲学だ」と言っておられました。それ程内容の深い経ですから、多分私は本多先生の百分の一も分かっていないと自覚しているつもりです。

◆『般若心経』に書かれた世界成立の真理

これから仏教の基礎である縁起や、色即是空や無や悟りを学んでいただくにあたって、矛盾的相即の論理を分かっていただくことが不可欠になりますので、まず矛盾的相即が実際にどういうことか、例を提示して説明したいと思います。

私たちはふつう二つの相反する概念を頭に浮かべる時それぞれ矛盾したものが対(ペアー)となっていることに合点していると思います(例：有と無、一と多、善と悪など)。矛盾したものは結合しない、と習ったはずなのにです。しかしよく考え、よく観察すると、相反するモノ・コトが結合する機序はどうなっているのか、分かっていないということに気づきます。さらに相手側に自分の根拠を頼んでいることに気づきますが、そこには興味深い論理があるように予感します。

たとえば磁石の成り立ちを例に説明します。磁石はN極とS極が必ず対となって磁力という作用が生じます。N極もS極も、自分だけでは磁力は生まれません。N極はS極があってのN

極、反対にS極はN極があってのS極です。相手方があってこその自己（ここでは磁石）の成立なのです。こういう関係を相依相関、または相依相成と言います。

体の仕組みについて、呼吸を例にして考えてみましょう。私たち生き物は酸素が必要です。酸素を取り入れるために肺という臓器を進化させ、呼吸という仕組みを創りました。「呼吸」という語の「呼」は吐く息（呼気）、「吸」は吸う息（吸気）で、ここに方向が逆のモノ（呼気と吸気という異なったもの）が結合して、一体化している仕組みがあることを認めます。呼気の後は引き続き新鮮な空気を吸う吸気の仕組みが動くのを見ます。体の細胞の活動でできた二酸化炭素を受け取った赤血球から二酸化炭素が呼気中に放出され、引き続き新鮮な酸素を吸気が肺に送り、血液中の酸素濃度が高く維持されます。この呼吸という一連の動きの中にも、呼気と吸気が逆の方向に動いていること、その仕組みが、酸素と二酸化炭素の逆方向の動き（これも循環と言う）に結びついていることを認めます。このように相反するモノ・コトが結びついて世界が論理的に成立している、その論理性のことを「矛盾的相即の論理」と呼ぶのです。

私が専門としている細菌学の世界でも、善玉菌と腸の健康との関係も矛盾的相即の関係です。細菌、ウイルス、原虫などの病原体と、我々のもつ感染症を防ぎ延命する仕組み（感染防御、生体防御と言う）もいのちをかけた戦いの連続で、そのいのちをかけた戦いの結果、高度な病原性の進化に対抗して生体防御の進化もおこります。これを「病原体と生体防御の共進化」と言います。生体中には（病原体をはじめとする）異物を食べる細胞がたくさんいます。これを食細胞と言い、侵入してきた異物を食べて殺します。しかし、細菌の中には、食細胞の中で殺されずに逆に食細胞の中で増えて食細胞を殺すレジオネラという病原菌がいます。ウイルスは増殖する場所が細胞内である必要があるので、細胞内で増殖する能力があります（新型コロナウイルスもその例）。人間はそれだけでは防御できない場合、より強力な免疫というシステムを準備して、抗体を作ったり、食細胞を活性化して殺菌能力を高めたりして病原体を殺します。こういう関係も、病原体と免疫の矛盾的相即と言います。

この勉強会で矛盾的相即の意味を理解していただくために例を出しました。突然、即や相即などの用語が出てきたので驚かれたかも知れませんが、矛盾的相即の関係にあるモノ・コトは物理化学的世界にも、生物の世界にも、生活の中にも見られることです。だから矛盾的相即は世界成立の真理と言われるのです。そんな大げさなものかな、と訝《いぶか》る方も多いと思いますが、これがお釈迦様が悟られた縁起の法であり、矛盾的相即も世界成立の真理であると言えるのです。勉強の途中で何を勉強しているのか迷ったら、この即または相即とは何かという原点に戻るようにしてください。

中途半端な理解ではなく最後まで勉強すると途中納得できなかったことが最後になって分か

ることが往々にしてありますから、最後まで我慢づよく勉強しましょう。重箱の隅をつつくような勉強ではなく、大事なことを繰り返し学んで身に付けましょう。

それから一つ提案ですが、勉強しながら皆さんオリジナルの「般若心経事典」を創りませんか。賛成なら、一冊ノートを用意してください。この勉強会が取り扱う問題は、宗教、哲学、論理学、医学、生物学など広きにわたります。その中で大事なコトは、矛盾的相即の論理を分かることです。

第一回　題名の意味と序分について

それでは経の題名『**摩訶般若波羅蜜多心経**』の意味から勉強を始めましょう。

題名にある摩訶《まか》とは「大いなる」という意味で、大きさの大小よりも、人間の偉大さ、素晴らしさを賞賛する時に使われます。般若《はんにゃ》とは智慧（知恵）という意味で、サンスクリット語ではパーニャ panna といいます。パーニャの音をそのまま般若と漢字にしました。これを音写と言います。経に日本語と違う印象を持たせる言葉が出てくる時には音写が多いです。

波羅蜜多《はらみた》は「彼岸《ひがん》（向こう岸）に渡す」という意味。般若波羅蜜多で「彼岸に渡す智慧」という意味になります。彼岸に対する語は此岸《しがん》（こちら側の岸）です。彼岸は河の向こう岸のことで、迷いの河や海を渡って到達する悟りの世界を意味します。一方、此岸はこちら側の岸で、生死を繰り返す迷い多きこの世界のこと。般若波羅蜜多はのちには「完成された智慧」の意味ともなり、坐禅を指します。「完成された智慧」と言われても抽象的で分からないと思いますが、仏教の智慧とはどんなものか明白に伝えることがこの本の役割だと思っています。

しかし、仏教の智慧を自分の考え方に合う部分だけを取り込んだり、都合のいいところだけを取り込もうと思ったりするのは、仏教を学ぶには障害になるのです。道元禅師は「自己を運びて万法を修証するを迷とす、万法すすみて自己を修証するはさとりなり」と仏教の勉強を始める皆さんに注意を促しています。『現成公案』に仏教を学ぶ態度としては、これまで真実と思ってきた根強い二元論、自分の独善や知識に執着しないことが大切だと教えています。真っ白なカンバスにどんな絵を描くか、描く前にカンバスが汚れていてはいい絵は描かれません。真っ白なカンバスは無《む》で、描かれる絵は有《う》です。先入観をまず捨てよ、初心は無心です。

心経の心《しん》は真髄のこと。『般若心経』は仏教の奥の奥すなわち真髄を説く経であり、『般若心経』が分かれば仏教は卒業と言われます。

仏法の体系のことを一口に「経論釈《きょうろんしゃく》」と言います。釈迦が説いた教えは「経」と言われ、題名の頭に「仏説」を付けます。菩薩が書いたものは「論」と呼ばれ、例えば天親菩薩の『浄土論』があります。学者や高僧が書いたものを「釈」といい、親鸞の『教行信証』や道元の『正法眼蔵』も「釈」になります。『般若心経』の題名『仏説摩訶般若波羅蜜多心経』の意味は、「釈迦が説いた彼岸に渡る大いなる智慧の教え」となります。

経の構成はふつう、序分、正宗分《しょうしゅうぶん》、流通分《るずうぶん》から成っています。序分は経の由来や因縁を述べる部分、正宗分は本文で経の中心となる経説を述べる部分、流通分は経の功徳を説き広く伝わることを勧める部分です。『般若心経』は序分、正宗分、流通分が二六六文字で書かれており、とても短いものです。

『般若心経』の舞台となったのは王舎城（マガダ国の首府）にある霊鷲山《りょうじゅせん》という小高い丘です。おそらく托鉢から帰られたのであろう世尊（釈迦）一行を描写するところから始まります。ただし、テキストに使う小本には書かれていない部分で、大本によると、世尊は疲れたのか霊鷲山に着くなり坐禅を始め三昧（禅定のこと）に入られます。それでこの場に登場するのは、観自在菩薩と釈迦の弟子の舎利子（舎利弗ともいう）だけとなります。世尊からは舎利子の発言が終わった時に、いい話だったとの評価があります。

まず、枠内に経文を掲げます。読み方に合わせたふり仮名、書き下しを付しました。続けて語句を説明していきます。経文・語句は【】で挟みます。

それでは、【観自在菩薩　行深般若波羅蜜多時　照見五蘊皆空　度一切苦厄】を序分として勉強を始めます。

【観自在菩薩《かんじーざいぼーさー》　行深般若波羅蜜多時《ぎょうじんはんにゃーはーらーみーたーじー》　照見五蘊皆空《しょうけんごーおんかいくう》　度一切苦厄《どーいっさいくーやく》】
〈書き下し〉観自在菩薩が　深く般若波羅蜜多を行じた時　五蘊は皆空と照見して　一切の苦厄を度したもう

【観自在菩薩】菩薩《ぼさつ》は菩提薩埵《ぼだいさった》（一般名詞）の省略形です。菩提はbodhiの音写で意味は「覚り」、薩埵はsattvaの音写で意味は「衆生」で、菩提薩埵は「覚りを求める求道の人びと」を指します。しかし、のちには悟った人のことを言うようになります。一方、修行を完成した者を如来と言い、釈迦如来、薬師如来などと呼ばれます。如来は真如来生から真と生の二文字を削った省略形です。

観自在菩薩が釈迦の弟子か、あるいは釈迦の若い時のことか、残念ながら判りません。観自在菩薩は玄奘《げんじょう》（六〇二～六六四）訳の『般若心経』に登場し、観世音菩薩は鳩摩羅什《くまらじゅう》（三五〇～四〇九）訳の『般若心経』に登場します。

観自在菩薩と観世音菩薩は実は同一人物で、お釈迦様その人だとの考えが有力です。原語のサンスクリット語が「自在」と「音」の両方に翻訳できるため観自在菩薩と観世音菩薩の二種類の漢訳が生じたらしい。自在という語句は現代、自由自在のように自由と一緒に使われることが多いのですが、歴史的には自在の方が古い語らしいのです。観自在の意味は「観ることが自由自在」という意味です。観世音菩薩は、『妙法蓮華経（法華経）』の観世音菩薩普門品《ふもんぼん》にも登場します。また、最も短い経と云われる『延命十句観音経』には「観世音南無仏」とあって信仰の対象になっています。観世音菩薩と勢至菩薩は阿弥陀仏の脇侍として人気があり、とくに観世音菩薩は中国では民間信仰の観音様として親しまれています。

釈尊がここで観自在菩薩を登場させたのは何故でしょうか。釈尊はお説教でしばしば過去仏やお弟子さんを登場させ、自分の代役をさせた様子がうかがわれます。釈尊が悟りを言葉にすると、衆生は悟りを言葉であらわせるものと信じ込んでしまう。悟りは言葉では表現できないことを衆生に分からせるために代役を使ったのではないか。あるいは、人気があり信仰するファンが多い菩薩のこととして難しい論理を伝えた、という可能性もある。お釈迦様の説法は待機説法といって、相手の知力に合わせてお説教をされました。西田は「この故に宗教は、哲学的にはただ、場所的論理によってのみ把握せられるのである」と断言しています。

西田の場所的論理については小坂国継先生が『西田哲学の基層——宗教的自覚の論理』（岩波現代文庫、二〇一一年）の中で説明しておられるので少し長くなりますが引用します。「自己が無になるということは、自己が場所の方から見られるということであろう。というのも、自己がなくなるということは見るものがなくなるということであり、見るものがなくなるということは、今まで見るものであったものが逆に場所の光に照らされて場所の側から見られるようになるということであるからである。今まで自己の側から見てきたものがすべて否定され、それに代わって自己が場所の側から見られ、場所の側から位置づけられる。この転換が超越であり、回心である」（一四六〜四七ページ）。この小坂先生の説明は合点が行くまで味わうのがいいでしょう。

【行】行は修行をして、からだで分かること、体解《たいげ》することをいう。冷暖自知する、腑に落ちる、納得する、体で学ぶ、などの意味もあります。これに対し頭つまり理性だけで、分かるのを知解《ちげ》といいます。体解する行動的自己は意識的自己を超えると言われます。

【深】この「深く」という語を使って、説いている真理は大乗仏教であるぞ、という意識があります。小乗仏教では人間を五蘊《ごうん》（後述【五蘊】参照）に分け五蘊の空《くう》（人空と称す）を説きましたが、大乗仏教は五蘊が空であることを人間だけに限定せず、この世の中にあるものの全ての蘊が空であること、つまり人も空、法も空であることを弘めました。これを人法倶空《にんぽうぐくう》と言います。このように大乗仏教では、宇宙のあらゆる物質的・心理的存在を、法（dharma）として捉えるようになりました。法が意味するところの内容は、人間から宇宙の全ての存在に広がりました。

【照見五蘊皆空】序分の中で、もう一つ大事と思われる言葉は、照見という言葉です。照見は、照らして見ると読めますが、照らされて見る、とも読みます。

照見五蘊皆空の主語と述語は何でしょうか。主語（主観）は観自在菩薩、述語は照見した、客観は五蘊でしょう。つまり、普通はここで主観が客観を見るという二元論的解釈になってしまいます。しかし、ここで使われている照見は、照らされて見るという受動態と、照らしてみるという能動態の両方を備えている能所不二と捉えるのが本当だと私は思います（能所不二とは、能は能動態、所は受動態を表す）。何故なら照見は仏智見《ぶっちけん》（覚った仏の智慧やものの見方）であるからです。つまり、菩薩の内面では二元論である我見から、能所不二的照見への転換が起こっていることを示しています。

西田幾多郎は、「禅宗では見性成仏と言うが（中略）見と言っても、外に対象的に何物かを見るというのではない、（中略）見というのは、自己の転換をいうのである、入信というと同一である。如何なる宗教にも、自己の転換と言うことがなければならない、即ち廻心《えしん》ということがなければならない。これがなければ宗教ではない」と確信のある強い口調で言っています。さらに西田には、「物となって見、物となって聞く」「物来たりて我を照らす」という言葉もあります。「主観が客観を見る」と理解しているのは二元論であり抽象的で我見なのです。道元禅師は『正法眼蔵現成公案』に「自己を運びて万法を修証するを迷とする、万法すすみて自己を修証するはさとりなり」と正しく美しく説いています。

これまでの説明で、照見は回心《えしん》（仏教用語）や廻心《かいしん》（キリスト教のCONVERSION）を経験し、悟った人のものの見方、仏智見であるということに触れました。悟った人の言葉には、普通に意味が分かる場合と、悟りの立場からの言表であるために意味がよく分からない場合がありま す。前者を世俗諦《せぞくたい》、後者を勝義諦《しょうぎたい》といいます。勝義諦の言葉には矛盾することも多く出てきますから、惑わされないように注意しましょう。この部分はただ何かを見たと言うだけでなく、人を含めた万法が空であることが、照らされる（受動）ことによって分かった（能動）、と言っています。

仏教でいう見は視覚的に眼で見るだけではない。真理の認識と目覚めの方向をみているかどうか全体性が問題にされます。正見、見性、知見、見仏など多面的に使われます。

照見が、照らす（能動）と照らされる（受動）の両面から把握するよう話をしてきました。次に照見五蘊皆空の蘊について話をすすめましょう。

【蘊】蘊という漢字は、草冠に糸偏の糸と温度の温の旁《つくり》である皿から成っています。夏の暑い日中に夏草を抜いたり刈ったりする作業を思い出して下さい。からだには伸びた草がまとわりつき、体温があがって汗をかき、夏の草いきれの中で不快きわまりない熱気が足下から昇ってきます。そういう様子を漢字に移したように見えます。蘊が使われる熟語としては、

蘊結：思いが胸中につかえて気がふさがること

蘊蓄：知識を深く積み蓄《たくわ》えてあること

蘊隆：隆は熱気が下から上がってきて蒸し暑いことがあります。蘊という字には精神的には気がふさがるという意味があり、また体にとっても不快な状況を表現する語であることが分かります。体に蘊が起こると体蘊、精神面に発生する蘊をそれぞれ、受蘊、想蘊、行蘊、識蘊と称すると、合計五種類の蘊、つまり五蘊が発生することになります。従って五蘊とは身体的に、また精神的に感じる不快感などの喜怒哀楽のことを言います。

蘊は存在するものの構成要件から発生する喜怒哀楽であり、自分でコントロールできないものを意味します。それら蘊による快感も不快感も全て空（五蘊皆空）であると捉えます。いずれの蘊も幻の如く消えゆく運命であり、実体もなく、本質もないというものであり、このようなありさまが【空】と呼ばれるようになりました。空がどんなものであるか、蘊を例えとして示したのです。実体もなく本体も無いとの性質も夏の草刈りの経験がある方は、実感することでしょう。（以上、蘊については、高野山真言宗・長尾泰道師の御教示を参考にした。）

表1　五蘊の存在の要件（色受想行識）とそれらの小乗仏教と大乗仏教の比較

五蘊の存在の要件	小乗仏教	大乗仏教
色	身体。人空。人間の身体は五蘊の仮の集合。	存在はいろや形をもったものとして有るという。人空・法空（人法倶空）。
受	存在は感覚器官による発識取境の作用によってある。（＊発識取境とは、意識を目覚めさせ、周囲からの情報を集めること。）	存在は人間の感覚器官が情報を取り入れ、美・醜、快・不快などとして感受されるものとしてあるということ。
想	表象作用と本質直観によって存在する。	存在は表象されるものとしてある。表象とは知覚に基づいて意識にあらわれる外的対象のこと。意識に映るイメージ（表象）をよまされるものとしてあるということ。
行	意志と行動によってつくられて存在する。	この世の中の存在はすべて意志され作られたものとしてある、ということ。
識	認識作用と識別作用により存在する。	存在は他の存在との違いがあり、他と識別・区別されるものとしてある、ということ。

【度一切苦厄】度は、生死という迷いの河を越えて、悟りの彼岸に渡ること、解決するという意味の渡すに由来する。一切苦厄がなくなるということではない。超越する、解決する、救済する、実践的には、こだわらないの意味。

苦厄は次から次へと人間を襲うものでありそれを全くなくすことは不可能です。しかし、仏法（縁起・空の法、無自性・空の法）をこころの拠り所にすることにより解決の糸口を見つけることができます。仏法というと、諸行無常（縁起・空）、諸法無我（無自性・空）のことです。仏法の他に矛盾的相即の論理が有るわけではありません。

第二回　縁起・空と無自性・空

ここで、仏教の根源的な理念についてお話ししましょう。縁起・空は仏教の根本思想であり、仏教が依って立つところの立場です。しかし、『般若心経』には縁起という用語は一度も出てきません。『般若心経』成立当時、縁起を話題にしなくてもいいほど、縁起・空の思想は理解され、浸透していたのでしょうか。それとも、小乗仏教と大乗仏教の争いで、縁起という言葉の使用が遠慮されていたのでしょうか。

ともあれここで学ぶ縁起と空、さらに無自性・空についてしっかり追究してください。縁起・空も無自性・空も仏教の最も根源的な理念だからです。

◆縁起とは

仏教の世界で最も使われる用語が縁起で、仏教の根本思想、根本的な立場であり、世界成立の真理でもあります。皆さんはこの世界がどのような論理で成り立っているのか考えたことがありますか。今日はその論理の入り口、スタートラインに立ったと言えるでしょう。

縁起は因縁生起の省略形と言われます。縁起とは、一切の事物は固定的な実体をもたず、さまざまな原因（因）や条件（縁）が寄り集まり連絡し合って成立（果）しているとする仏教の根本思想（『広辞苑』）とあります。この世界をあらゆるモノ・コト・ヒトの相依相関と見ます（依はよりかかる、たよりにするの意味）。因・縁・果の三つの漢字からは、因に縁が結ばれ果を略して「因縁」、縁をはずして因と果を残し「因果」、因をはずし、果を起に置き換えて「縁起」となります。

論理的に因果律としてよく使われるのは因果でしょう。現代では「因果」や「因縁」は、あまりポジティブな言葉とされていません。因縁は元々、縁起を意識したよい言葉で、時節因縁などの根源語があり、因に縁が結ばれて因縁とも言われます。結果の果を使って因果とも言います。因と縁が和合して種々の存在を生じるのであり、原因なしに生じるのではありません。

これがあるとき、それはある。
これが生じるから、それは生じる（『雑阿含経』）
これがないとき、それはない。
これが滅するから、それは滅する。（『中阿含経』）

と、『阿含経』は縁起を定式化しています。前の二行を縁起所生（縁起によって生じること）、後の二行を縁欠不生（縁が欠けると生じないこと）と言います。「縁がある」とはいろいろな条件が一つに結ばれて何かコトが生じるということである。「一つに結ばれて」ということが大事で、時に奇跡が起こったと言われます。「起」とはこの世に現れるすべての現象、モノ・コトを意味します。従って縁起とは、この世に生起するもの全てを「起」の一字で表わし、起は全て因と縁によって生じる、という意味です。縁起では因は縁に含まれるとされ、因縁果の果を起に置き変えて縁起と表現されます。縁起の法によって生起するとの宣言です。世界成立の真理としての縁起の法は、例外なしに全てにそうであると言えるのがすばらしく、『般若心経』の特長です。だから悪意を持って人為的にこの法を破壊するのは許されません。

表2　縁起的因果論と科学的因果律の比較

縁起的因果論	科学的因果律
再現性を要求しない。	再現性が必要。
過去・未来の縁もとりあげ有効とする。	現代的実験手法で証明されたもののみ有効。
異時因果のみならず，同時因果も受け入れる。	異時因果のみ取り入れて正と考える。
因果関係を支持する物質の提示を求めない。すなわち現象の追究がない。	因果関係を支持する物質(タンパクや核酸)を明らかにする必要がある。
統計処理を必要としない。	統計処理をしてコントロールとの差がないと因果関係はないとされる。

縁起はこのように因果律ですが、科学的因果律とはちがいがあります。原因（因）が先、結果（果）が後の前後因果（異時因果）と呼ばれるのに対して、仏教の縁起には前後因果のほかに同時因果と言われる因果論があります。例えば、常識的には兄弟は兄が先に生まれ弟が後に生まれる（前後がある）が、縁起では兄は弟が生まれて初めて兄になるので兄弟同時に誕生するとも見る。おじいちゃんとお孫さんが同じ年齢であるということも言えます。

このように仏教の縁起は科学的因果律を含んでより広い概念だといえるでしょう。さらに、縁起は全ての存在に固有の本質はないとし、不変の実体も否定します。これが諸法空相と言われる哲学的表現につながります（表2）。

本質とは根本の自己同一な固有性。モノ・コトがそれ自体として本来何であるかを規定するという概念です。実体とは、それ自身によって存在するものという概念。変化する諸性質の根底にあり持続的な担い手と考えられるもの。仏教はこの本質と実体を認めません。そしてこの様相を空という。このように縁起に依るから空なので、縁起・空と言われる。縁起の故に空、空の故に縁起なのです。空だけをとりだして考えても答えは出ないのです。

《縁起とは何か――まとめ》

① お互いに相い依って世界が成立していること
② お互いに自己には自己の根拠はなく、相手側に根拠があること
③ それ自身で独立して存在するという実体はない。全てが相依的であること

◆空とは

空とは何も無いということではありません。色《しき》がなくなった後を空というのでもありません。入れ物が空っぽ（空虚）ということでもない。トイレが空《あ》きましたよ、という空《くう》でもなく、不在とか欠席（空席）とかいうことでもない。世界は縁起によって成立しているということが、世界がそのまま空の相（すがた）である、ということです。だから縁起・空と表記します。

空は「有に対する無」に似ていますが、無とも異なります。「空」は「有を含んだ無」「有の根拠になる無」であるからです。「有を含んだ」「有の根拠になる」というのは、諸法がなくなって空になるのではないからです。諸法がそのままで、有のままで、空である、色即是空、これが分かることが大事なのです。

空はモノではない。空は無相なるがゆえに如何《いか》なる相にもなることができる。例えば、水には決まった形が無い（無）からどんな形にもなれる（有）。「水は方円の器に従う」とは水のかたちの空性を言ったもの。この世の存在は五蘊皆空という必要条件がそろって存在しているから固定的実体ではない、空である。『般若心経』の【是故空中　無色無受想行識】は空の中では、存在は無の相であるという。

空について補足説明しますと、私たちは相手によって態度、表現、口調、動作が変わるものである。私は、教員として学生に対する時、親として子供に対する時、夫として妻に対する時、野球をする時、海で泳ぐ時、美しい花を見る時、講義をする時、全てにおいて私の表現は変化する。どれが本当の自分かと言われても、これだと言えるものではないし、どれもがそうだとも言えるのである。なぜか。それは本当の自分は空であるからである。「無相の自己」であるからである。

水は方円の器に従う。水に決まった形はない（空、無）。ゆえに、どんな形にもなれる（有）。

図１　人間相互の関係図（私を中心とした１例）

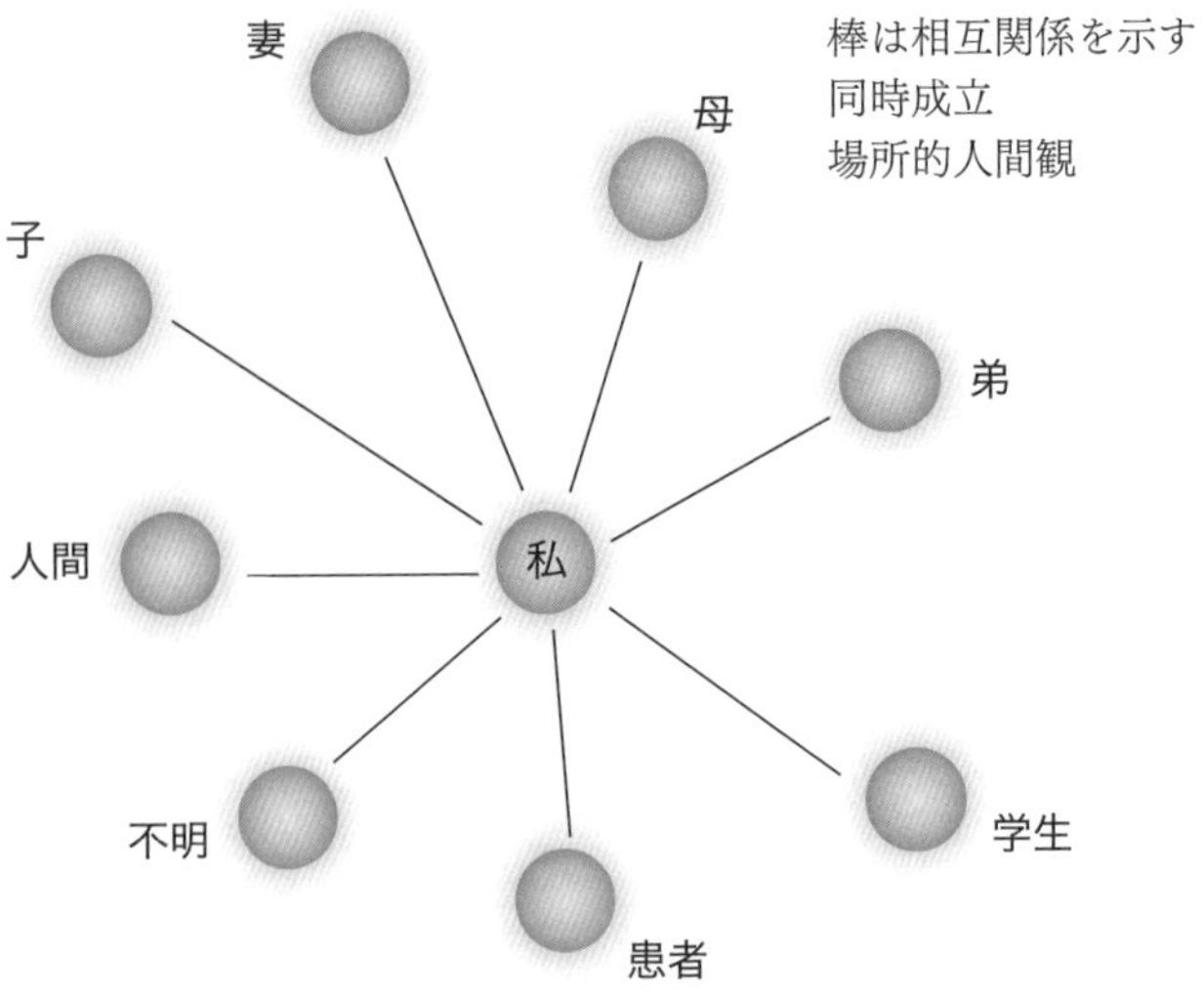

私（中央）という存在は母の子として，妻の夫として，子の親として，弟の兄として，人間に対しては人間として，学生に対しては教官として，消息不明の人に対しては消息不明のものとして在る。このように私の存在根拠は他にあるといえる。他が不明である時，私は何であろうか？　また他との縁が切れたあとに，私には何が残るだろうか。空以外の何でもないのではないか。

デカルトの「我思う、故に我有り」の有りと、仏教の有りとは同じだろうか。ちがう。デカルトの有りには有るという意味しかないが、仏教の有りには有ることと矛盾的相即的な無いということが含まれている。絵を描く前の白いカンバス、書道に使う白い用紙、音楽を聴く時の静寂、これらは有を助けるための無である。

色《しき》（世の中のモノ・コト）と空が別々のものと見ては誤る。そういう見方は抽象的二元論です。つまり空《くう》の無い色《しき》も、色《しき》の無い空《くう》も抽象的二元論です。空はモノ・コトを滅した体験のあとに言えることで、体験した人にしか分からない。しかし、諦めてはいけません。諸法空相は目の前の事実なのです。冷暖自知。空は物質ではない。決して物象化してはいけない。色と空は「色即是空・空即是色」の相即関係であり、そのほかではありません。

◆無自性《むじしょう》・空

次に、仏教では「無我」も大事な立場です。「無自性」とは無我の哲学的用語です。自性とは、同一性（私が私であるということ）と固有性（私は私以外ではないこと）を保ち続け、それ自身で存在する本体をいうが、要するに我性のことである。自性も縁起に依って成立するが故に無自性・空なのです。

「我なき者すなわち自己を滅せる者は最も偉大なる者である」と西田幾多郎が『善の研究』に

書いています。

「諸行無常、諸法無我」の根拠は縁起の法にあります。諸行無常は縁起・空、諸法無我は無自性・空と言うに同じです。仏教の根幹、仏法の中核です。

◆四法印とは何か

仏教の理念は、端的に言って「諸行無常、諸法無我、一切皆苦、涅槃寂静」であり、四法印と言います。諸行無常は哲学的には縁起・空であり、諸法無我は哲学的には無自性・空です。それに涅槃寂静と一切皆苦を加えて四法印といいます。

一切皆苦をのぞいて三法印とすることもあります。一切皆苦が四法印の中に入れられるのには深い意味があります。それは多くの人に受け入れられている世界宗教は、人生の苦しみから人間を救うことができるから世界宗教に発展したのであって、人生を豊かにするためにあるのだという目的を掲げたり、人生を楽しいものにするためにあるのだとの主張や宣伝は聞いたことがありません。

古くは仏法とはこれら三法印または四法印のことをいいますが、世界成立の真理よりほかに仏法があるわけではありません。仏法は世界成立の真理でありますし、世界成立の真理を求めて到達したのが仏法なのです。『臨済録』には「仏法は用功の処なし、ただ是れ平常無事」とありますが、岩波文庫には「仏法は造作の加えようはない、ただ平常のままであればよい」との入矢義高先生の訳があります。(『臨済録』岩波文庫、五〇ページ)仏教の縁起の法という立場は、矛盾を排除するアリストテレスの形式論理とは大いに異なった論理なのです。

第三回「即」の論理

【舎利子《しゃーりーしー》　色不異空《しきふーいーくう》　空不異色《くうふーいーしき》　色即是空《しきそくぜーくう》　空即是色《くうそくぜーしき》　受想行識《じゅーそうぎょうしき》　亦復如是《やくぶーにょーぜー》】

〈書き下し〉舎利子よ　色は空に異ならず　空は色に異ならず　色は即ち是れ空　空は即ち是れ色　受想行識もまた是れの如し

【舎利子】もう一人の登場人物、舎利子(シャーリプトラ)が登場しました。読み方はシャーリーシーです。釈迦より年配で釈迦の第一の弟子です。記憶力が優れていたということです。『般若心経』冒頭の【観自在菩薩　行深般若波羅蜜多時　照見五蘊皆空　度一切苦厄】は釈迦が若かった時(菩薩だった時)の修行の様子をお弟子さんたちが見聞きし伝え聞いて記憶し、結集《けつじゅう》

（経の編集会議のようなもの）の時に文字化したものとも考えられます。その他、観世音菩薩が舎利子に、釈迦が照見した時の様子を伝えている場面だという考えもあります。修行の目的は般若波羅蜜多の智慧を得て悟ることなのですが、五蘊皆空と照見したとも伝えられています。『般若心経』は仏説であり、釈迦の真の言葉が残っています。

【色不異空　空不異色】まず、色と空は異なるものであるのに、異ならず（不異）と矛盾することが書いてある。このあたりから、初めての方はお経の内容に疑問を持つようになったり、矛盾的言辞を前にして思考停止になったり、混乱して前に進めなくなってきます。異ならずと『般若心経』では言ってあるが、色と空は異なるのが常識、一体どういうことでしょう。これは仏教の門に入る第一の関門です。さらに「色不異空」を逆にして「空不異色」と言う。何故でしょうか。

色と空は異なっています、それも矛盾するほど対極にあります。何故なら「色」には色や形がありますが、「空」には色や形はありません。「色」は有ですが「空」は無です。色は実ですが空は虚です。ここで仏教書を読む時に注意しなければならないことがあります。世俗諦と勝義諦ということです。常識的言説を世俗諦《せぞくたい》といい、宗教的真実を勝義諦《しょうぎたい》または第一義諦と言って、悟った方々は自由自在に使い分けますが、常識的には矛盾した言明が各所に現れるので、仏教特有の矛盾を受け入れる文章にはこのことを注意して読まなければなりません。中山延二

図２　世俗諦と勝義諦（真如の活波乱）

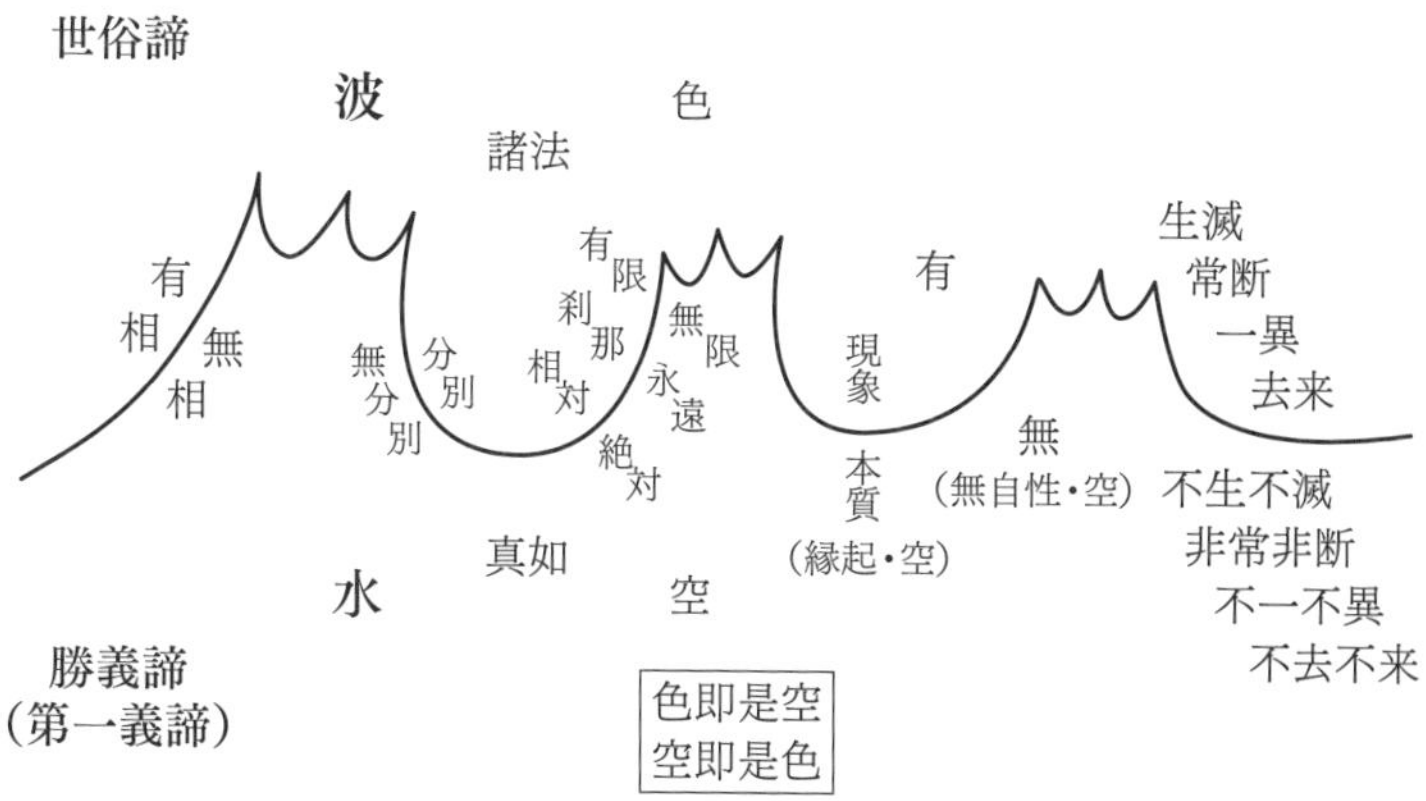

真如の活波乱

防波堤から海を見ていると想像してください。図には三つの大きな波の断面図が描いてあります。ふつう波は表面しか見えません。これを世俗諦とします。勝義諦は，悟った人にしか分からない知恵だと見てください。波は，どんなに大きくうねり乱れて見えても波と水は一体となって動いています。勝義諦と世俗諦は波の相を表す線で区別されており，仮にこれを境界線と呼びます。境界線より上部に世俗諦のモノ・コト，下部に勝義諦のモノ・コトを配置し，左の方から右に進むと，境界線の上部に有相，下部に無相，さらに右に移って波としての動き（上部）とそれを支える水（下部），分別と無分別，有限と無限，色と空，現象と本質，有と無，生滅と不生不滅……というように矛盾したモノ･コトが縁起的に相即しています。この二種の真理(二諦）を示したものは，「真如の活波乱」と言われています。

先生は「常識はウソではないがホントでもない」と言われます。色と空は異なっているというのは私たちの常識です。ところが色と空は異ならずというのは宗教的真実なのです。

その典型的な例を挙げますと、衆生に仏性があるか、ないかという問題です。「一切衆生悉有仏性」と「一切衆生悉無仏性」は実は同じことを言っている。「悉有仏性」と「悉無仏性」の違いがあるが、仏教の有と無は、「有は無との矛盾的相即的有」であるし、「無は有との矛盾的相即的無」であるから、有即無、無即有とも表現され、さらに有と無の順序は逆順交代可能なのです。

異なりながら（不一でありながら）異ならず（不二である）、この関係を不一不二《ふいつふに》、一でもなければ二でもない、という。不異は『維摩経』という禅宗のお経に出てくる「不二」と同じです。禅宗では不一を言わずに不二だけで表現するようですが、矛盾的相即では不一も不二と同等な大事な要素なので、不一を略さないよう気を付けましょう。

【色即是空　空即是色】『般若心経』の中で最も有名で人口に膾炙《かいしゃ》しているフレーズです。

このフレーズでは不異（異ならず）の代わりに、「色即是空」のように、「即是」が使ってあります。ここからが『般若心経』の大事なところ、クライマックスにさしかかりました。「色不異空　空不異色」に使った「不異」では、色と空の関係性を十分表現できないとの判断で、色と空との間の不一不二性を表現するにはどういう字を持ってきたらよいか智慧を絞ったと思われます。結論は「即」という字を用いて、「色即是空　空即是色」と表現することでした（是は強調）。「即」の語に仏教の悟りの論理性をもたせられると考えたのです。翻訳の苦労が伝わってくる場面です。

それでは「即」という字がここで使われた根拠を考えます。即には動詞として「つく」という意味もあります。即位（位につく）の「つく」です。さらに「すぐそばにくっつく」という動詞としての意味もあります。よく使われるのは、「即《すなわ》ち」という副詞的意味で「とりもなおさず」ということ、これは「とり替えなし」ということですから、「色即是空」は「色が」「そのままで」「空だ」とも言っているのです。つまり、色と空の二つが、二つそのままで一つ（不二）だというのが「即」ということです。「出会い」を「即」で考えると、単に二つのものが向き合うとか、二つのものが並列するとかいうことではありません。相反する二つのものが、二つそのままで一つ（二つで一つ、一つで二つ）という矛盾的相即の関係、相反する二つのモノ・コトが「異にして分かつべからず、一にして同ずべからず、という矛盾的相即の関係のことをいったものなのです。

【受想行識亦復如是】 空であるのは色だけでなく、受・想・行・識もそうである。ここは省略形を用いていますが省略しないと次のようになります。「受即是空　空即是受　想即是空　空即是想　行即是空　空即是行　識即是空　空即是識」。これらを代表して『般若心経』には「色即

是空　空即是色」だけが出ている。色受想行識の五蘊全てが空であると言っています。

◆矛盾的相即の論理

「出会い」は二つのものがなければ始まりません。清沢満之（明治の高僧）は「有限あれば無限なかるべからず」（有限なものがあれば無限なものがないはずはない）と有限（泡）と無限（水）の矛盾的結びつきを言いました。一遍上人も「身を観ずれば水の泡」と、有限のいのちを水の泡の儚《はかな》さに喩えたのですが、儚い泡も、無限のいのちである水なくしては生じないのです。ここに水と泡の矛盾的結びつき、無限と有限との出会いがあります。

矛盾・対立・相反するモノ・コトを即で結んで、現実の具体的論理であると宣言したのは仏教（釈迦）であり、この論理構造を「相反するものが異にして分かつべからず、一にして同ずべからず」と定式化したのは親鸞です。「矛盾的自己同一」と哲学的に言い換えたのが西田幾多郎、さらに「矛盾的相即」と分かりやすく教えたのが中山延二、「二つで一つ、一つで二つ」の矛盾的相即で仏教とキリスト教を結ぼうとしたのが本多正昭先生です。この法則は世界成立の真理であり、例外はないと中山延二博士は言われます。

矛盾的相即の論理の要約をします。

この論理は、現実がどうあるのか、無にして見、無にして聞く立場から釈迦によって悟られました。その悟りとは、この世の中は矛盾したもの、相反するものが相即的に結合して成立し、具体的なものは必ず矛盾を含んでおり例外はない。これが世の中が矛盾的相即的に動く根拠です。

ここでは、「具体的なものは必ず矛盾を含んでおり」ということへの確信がないといけません。信じる力（信解力）は知性を強化します。

矛盾したものの結合は結合即分離・分離即結合という結びつき方、すなわち結合と分離とが相互に矛盾を媒介として相即しているということです。相手が要るので相は残します。相即の論理は、相即する矛盾したものの、いずれか一方だけに根柢《こんてい》を措《お》いてはなりません。その根柢はどこまでも相即というところにあります（生と死の相即、先生と生徒の相即）。それ故に否定即肯定的に無基底を本となすといわれています。逆方向もいつも真である、故に色即是空・空即是色である。結合と分離は同時である。即ち互いに否定し合い同時媒介するということであるということです。そこに「即」の意味があります（相互否定的媒介的一体）。相即は相手側に根拠をもって成立し、自己に自己である根拠はなく（相依相成）、相依と相成も同時に起こる。どちらが先ということはありません（親子同時）。

概念規定すなわち言葉の意味と現実の具体的成立とを混同してはなりません。結合という言葉には結びつくという意味しかない、分離という意味は含まれない。矛盾という概念規定は矛盾する相手方と絶対に結びつかないということ、さらに相手側とは両立しないという意味をもっています。しかし具体的現実の世界は、相反するものがかえって結びついて両立していることを示しています。親鸞聖人は、相反するものが「異にして分かつべからず、一にして同ずべからず」と説明しました。相即の本質を最も分かりやすく明快に表現しました。真に具体的なものは、それ自身の中に矛盾を含んでいるということ。矛盾を含まないものは具体的ではない。矛盾したものを「即」で結んで論理的に表現します。

即が矛盾的相即を媒介するものとして使われることは、同時に即が否定を媒介する字であることを意味します。また、矛盾的相即の意味が表現できなかった語句が即の登用《とうよう》によって新に意味することができるようになりました。無礙《むげ》や円融《えんゆう》などが、真に相即を意味するものとして使われるようになるでしょう。

即の論理的ハタラキにより、これまで結合することは無いと考えられた矛盾・対立・相反するモノ同士が結ばれる論理性をもつことになったのです。例えば、有と無は結びつける媒介者となるものがなく、相反する関係しかなかった。しかし、有の根拠としての無のハタラキが分かってきたのです。粘土遊び、砂場遊び、白いカンバスは、「色」の世界を創作する（または遊ぶ）ために「無」のハタラキが必要であることを教えています。その他、他我問題、身心問題など哲学の世界の難問を解決する論理が整ってきたと思われます。

第四回　不生不滅と否定神学

これまで色と空の相即関係を説明するのに、色と空が「不異」（異ならず）ということ、さらに「即是」を用い、色が指し示す五蘊が空《くう》であると学んできました。『般若心経』では色以外の受想行識が空であることは省略されて【受想行識亦復如是】（受想行識もまたまた是の如し）となっていました。ここからは不を使った否定型が用いられ、世の中にあるもの全て（諸法）が否定の対象になっています。

【舎利子《しゃーりーしー》　是諸法空相《ぜーしょーほうくうそう》　不生不滅《ふーしょうふーめつ》　不垢不浄《ふーくーふーじょう》　不増不減《ふーぞうふーげん》】
〈書き下し〉舎利子よ　是れ諸法は空相であるから　生まれず滅せず　汚からず浄からず
増さず減らず

これを意訳すると、「舎利子よ、是れ諸法は空の相である。この世においては全ての存在するものには実体がないという特性がある。ゆえに存在するものには、生じたということもなく（不生）、滅したということもなく（不滅）、汚れたものでもなく（不垢）、汚れを離れたものでもなく（不浄）、増すということもなく（不増）、減るということもない（不減）」となります。

ここに『般若心経』の六不が出てきます。六不とは「不生不滅　不垢不浄　不増不減」のことで、全てが否定型となっています。

【不生不滅】生と死の両方の超越を意味する。仏教は生に対する執着を断ち、超越することを説き勧める、それを不生と表現した。不生により不滅も獲得される。盤珪禅師は不生のゆえに不滅は不用と主張した。

【不垢不浄】全ての存在するものは、空の相（すがた）であり本来、清浄であるとも、不浄であるとも言えないものであるの意。我々のこころがもともと汚れもせず（不垢）浄らかでもない（不浄）と言っていると解釈してもよい。窓を拭くと窓ガラスはきれいになっても雑巾はよごれる。差し引きゼロだ。

【不増不減】全ては空の相であり、増減、損得などは現象である。それに執着しないようにとの教え。一方が増えれば他方は減る。合わせると増減なし。

以上、六不と八不の違いはあるが、どちらも縁起を基にしたことわり（理）が説かれたとされています。仏教中興の祖と言われるナーガールジュナ、中国名・龍樹（二〜三世紀）は、『中論』の冒頭の「帰敬偈」に次のような八不中道を書いています。

「［宇宙においては］何ものも消滅することなく（不滅）、何ものもあらたに生ずることなく（不生）、何ものも終末あることなく（不断）、何ものも常恒であることなく（不常）、何ものもそれ自身と同一であることなく（不一）、何ものもそれ自身において分かれた別のものであることはなく（不異）、何ものも［われらに向かって］来ることもなく（不来）、［われらから］去ることもない（不去）、という縁起のことわり（理）を、仏は説きたもうた」とあります。

八不とは、『中論』では「不生不滅　不常不断　不一不異　不来不去」であることが分かります。

それでは縁起を説明するために、不生不滅（生でもなければ滅でもない）など否定的言辞が用いられたのは何故でしょうか。八不中道の教えは極端な苦行や快楽は、ともに正覚には導かないという釈迦の修行の反省から出た教えです。不苦不楽の中道、不断不常の中道、非有非無の中道などが説かれた。一本の棒の中間は「中」で、二辺は棒の両端（両極端でもある）を指す。中《ちゅう》には二つのものの中間という意味もあるし、「あたる」という意味もあり、真実や道に当たる、とも使われる（「有無の二見を摧破《さいは》する」は、中道を表すのに極端な二辺を肯定する論法では中道は説けない、という意味)。

中道とは、二つの中間(あいだ)ではなく、大事な二つのもの、例えば有と無から自由になり、矛盾対立を超えることを意味します。即ち、矛盾的相即の原理から問題を解決するのです。

黄檗禅師(~八五〇年頃)の『伝心法要』は「一心」を説くために否定型を多く使いました。「諸仏と一切衆生と唯一是れ一心にして、更に別法なし。此心、無始より已来、曾て生ぜず、曾て滅せず、青ならず黄ならず、形無く相無く、有無に属せず、新旧を計せず、長に非ず短に非ず、大に非ず小に非ず、一切の限量、名言《みょうごん》、蹤跡《しょうせき》、対待《たいたい》を超過(こえまさること)して、当体すなわち是れ仏なり、仏と衆生と更に別異なし」。これは否定神学と同じ構図である。

禅では特に「不立文字　教外別伝　直指人心　見性成仏」という、文字を使っての説明を拒否する有名な立場がある。文字による表現「感覚(味や臭い等)、喜怒哀楽の感情、絵画や音楽で感じたことを言葉(言語)で説明するのは不可能である。また、一般に真理、絶対者、神、仏、一なるもの、永遠、真如、空、無などを肯定的言辞で説明するのは困難である。

◆否定神学とは

肯定的・否定的言辞にかかわらず神の表現に関してマイスター・エックハルト(一二六〇年頃、東ドイツ生まれ。神秘家、神父)の右に出る者はいないであろう。「神は『言《ことば》』であり、『真理』である。神は愛である、神は道である、と言われる。それに対する否定的言辞による神は『神は善きものであるとだれかが言ったとすれば、太陽は黒いと呼ぶのと同じように、神に対してまさに不正を働いていることになるだろう』「人間の肯定言辞による述語づけ（定義）が神についていては厳密にいうならばできない以上、人間言語で神について語ろうとすれば、『神は……ではない』という否定言語による以外はないことになる。これが否定神学と呼ばれる伝統である」「エックハルトは説教の文脈に応じて、時にこの否定神学の伝統に立ち、神はあれでもなく、これでもない、神には名がないといった説き方をしばしば用いている」（『エックハルト説教集』岩波文庫、一九九〇年。田島照久氏の訳注より引用）

また、ディオニュシオス・アレオパギテース（六世紀、シリアの修道者）の『神秘神学』第四章（『キリスト教神秘主義著作集第一巻』教文館、一九九二年）を読むと、感覚によって捉えることのできる全てのものの原因つまり神は、卓越性のゆえに他よりすぐれているので、感覚によって捉えることのできるもののうち何ものでもない（表現できない）ことが書かれています。感覚に万物の原因であって万物を超えているもの即ち神は、非存在にもあらず、生命なきものにもあらず、など三十項目の否定的言辞を挙げています。

さらに、『神秘神学』第五章には、知性によって捉えることのできる全てのものの原因は、卓越性のゆえに、知性によって捉えることのできるもののうち何ものでもないことが書かれています。それは魂でも知性でもなく、想像も臆断も理性も知性ももたず、理性でも知性でもなく、など七十項目に及ぶ知性の対象となるものを否定的言辞を挙げて、神は表現できないことを言っています。

感覚によっても（第四章）、知性によっても（第五章）神に到達できないことがお分かりになったと思います。

第五回　六根、六境、六識

前回は『般若心経』の六不、『中論』の八不を起点にして否定神学について学びました。今回は、五蘊、六根、六境、六識について学びますが、これらもやはり無の相であること、この無は欠如や無いという意味ではなくて、空の立場からこの世界が無の相であるということを言っているのを忘れてはいけません。空の立場からの見方を忘れたら、仏教を学んだことにはならないのです。

【是故空中《ぜーこくうちゅう》　無色無受想行識《むーしきむーじゅーそうぎょうしき》　無眼耳鼻舌身意《むーげんにーびーぜっしんにー》　無色声香味触法《むーしきしょうこうみーそくほう》　無眼界乃至無意識《むーげんかいないしーむーいーしき》界《かい》】

〈書き下し〉この故に空の世界では　色もなく受想行識もなく（五蘊の無）　眼もなく耳鼻舌身意もなく（六根の無）　色もなく声香味触法もなし（六境の無）　眼界もなく意識界もなし（十八界の無）

【是故空中】このゆえに空の世界では、という意味に受け取ります。または、空の立場では、と考えるのもいいでしょう。いずれにしても色即是空と見る勝義諦の立場で無が使われていることに要注意です。

◆六根、六境、六識とは

目は太陽光が生物の皮膚や神経を刺激することによって進化し、耳はさまざまな音の世界を感じることによって進化したと考えられます。同様に鼻は匂いによって、味覚は食べ物かどうかを見分けるために、肌は変化する風の方向や強さを感じることによって進化を遂げ、眼耳鼻舌身という五つの感覚器官、仏教用語では、五根が出来上がりました。感覚器官のことを「根」

といいます。

外界の情報を感じる能力に連動して感覚の意味を識別する知覚能力も進化しました。前の五根は感覚能力、意根は知覚能力があるとして区別します。意根も含めて感覚器官（六根）が受け取る外界の情報を「境」といい、色声香味触法の六つなので「六境」といいます。五つの感覚器官と一つの知覚器官はそれぞれが対応する境の情報（知る対象）を識別しながら受け取ります。

境を知るシステムを「識」といい、眼識、耳識、鼻識、舌識、身識を前五識、意識を「第六識」といいます。現代では眼識という語は使いませんが、意識という語はよく使われます。対象を知ることを識といいます。前五識は未分別ですが、意識は分別します。何かを知るという働きは、他のものとの違いを認めて初めて知ることも可能になるわけですから、知識という語にも根柢に識別するという意味が含まれているのはうなずけることです。『般若心経』では知識は意識に含まれると解釈するのがいいでしょう（図3）。

このように六根が六境を識別し、認識（六識）しますので、感覚器官に「界」を付けて眼界、耳界、鼻界、舌界、味界、意界の「六界」といいます。この六を根、境、識の三にかけて十八界といいます。ここでは色－眼－眼識－眼界、耳－声－耳－耳識－耳界、香－鼻－鼻識－鼻界、味－舌－舌識－舌界、触－身－身識－身界、法－意－意識－意識界の組み合わせとして整理さ

図3　六根，六境，六識と五蘊

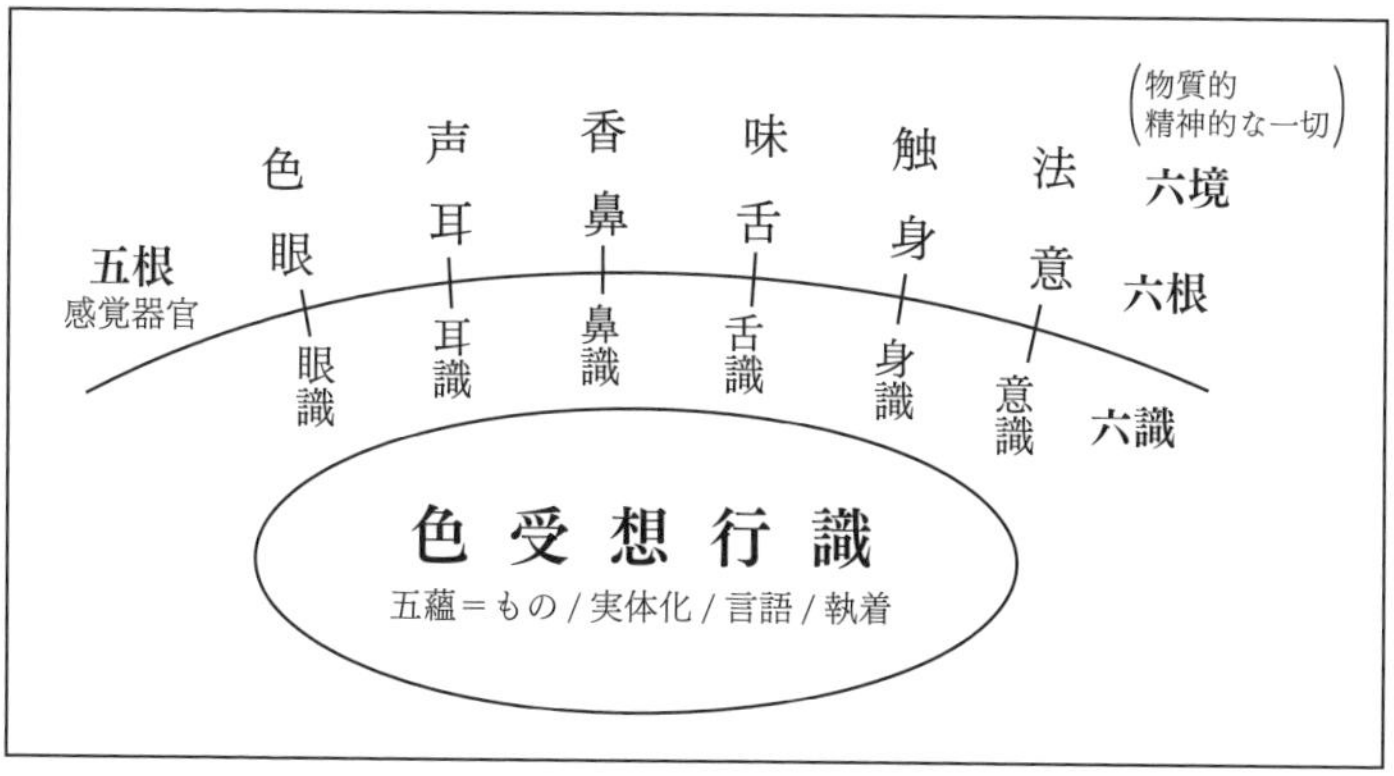

れており皆さんも理解できるでしょう。ここで身が受け取る情報を触としていますが、触とは肌触りなどのことをいいます。

ちなみに、御嶽山に登る時、「六根清浄お山も清浄」と唱えながら登りますが、これは自分の六根すなわち眼耳鼻舌身意が清らかでありますようにとの祈りでもあります。また、第六感といって直感のことに第六を付けるのも、五根、五識の次の六番目という意味があります。

以上の説明で分かりにくいところは意識の役割でしょう。意は「法」を認識します。法には広い意味があり、仏陀の教えという意味と、世の中でおこるさまざまな出来事や「もの」という意味があります。眼識、耳識、鼻識、舌識、身識を前五識、意識のことを第六識として区別します。前五識は特殊化された感覚器官でもって、対応する境を情報として取り込みます。第六識は心の主たるもので心王《しんのう》とも言われます。「意識する」とは心所（注意する働き）の意味もあります。意識は意根という知覚器官により、法という対象を認識する。また、過去、現在、未来の三世を対象とします。

意識（第六識）は末那識を拠り所（意根）とし、前五識が働く時は必ずこの意識が同時にはたらくので、六識は煩悩に汚されてしまいます。意識の働きの中で一番やっかいなのが自意識、私意識です。仏教学の一派である唯識学では六識に加えて末那識（第七識）とアラヤ識（第八識）を加えて八識とします。末那識は深層に働く自我執着心（自意識）の中枢と考えられています。自意識があると所有欲をはじめさまざまな欲が出てきて自分は振り回されることになります。言語活動も意識の働き、執着も意識の働きです。

今回学ぶ本文【是故空中　無色無受想行識　無眼耳鼻舌身意　無色声香味触法　無眼界乃至無意識界】の意味は、

是故空中（この空の立場から）
無色無受想行識（色受想行識の五蘊も無）
無眼耳鼻舌身意（眼耳鼻舌身意の六根も無）

無色声香味触法（色声香味触法の六境も無）

無眼界乃至無意識界（眼界から意識界の六界も無）

となり、お釈迦様は丁寧に説いておられます。ただし、【無眼界乃至無意識界】のフレーズ中、耳界から身界までは省略されています。ここは十二因縁との関連から次回勉強する予定です。この二行だけでも無が六つも出てきました。これらの無が「ない」と世俗諦で理解されるか、それとも色即是空と勝義諦で理解されるかが、仏教が分かるか分からないかの分かれ道になります。

◆無の意味

無は有の「ある」に対して無い、存在しない、ということ。中国では老荘思想で頻繁に使われ否定を表します。ところが『般若心経』のこの箇所に出てくる無は「五蘊や十八界が無いというのではない」ということが肝心要の重要なところです。全ての無が「単にない」ことを意味するのであればこの世界は成立せず、哲学どころか何も始まらない。仏教ではありのままの世界の存在を「ある」と認めて、それが無の相（すがた）なのだ、と受け取ります。仏教で使う無は、単に無いということではなく、存在が縁起的存在であるということを言っているので

表3　空と無の違い

空	無
主にインドの仏教で発達した概念で，世界的真理である。	主に中国の老荘思想で発達した概念。
対する概念は色《しき》である，蘊である。	対する概念は有である。
入れ物の中身がなくなって入れ物が空になったことを示すのは空。	有の根拠になるもの。
色即是空，空即是色	有即無，無即有
色はそのままのすがたが空である。	絶対無であっても何事もないというのではない。
万物は空存すると言いたい。	空存を無存にかえることはできない。

す。縁起的存在なので、永遠不変の固定的な実体はないということを言っているのです。そのように受け取れるかどうかが、新しい世界観、すなわち照見を持つことができるかどうかの分かれ道になります。

空と無は何が共通でどこが違うのでしょうか。【照見五蘊皆空】【是諸法空相】【是故空中】と「空」が三回使われています。空は空っぽ、入れ物だけで中身がない、という意味合いが強くインド人の世界観を表しています。無は有に対して「ない」と表明しているのですが、空は縁起・空という世界観を表す意志が無より強いと考えられます。

第六回　十二因縁と四諦

【無無明《むーむーみょう》　亦無無明尽《やくむーむーみょうじん》　乃至無老死《ないしーむーろうしー》　亦無老死尽《やくむーろうしーじん》】

〈書き下し〉無明も無く　また無明が尽きることも無く　ないし老死も無く　また老死が尽きることも無い

【無明】無明とは、空の思想が啓蒙されていないこと。真理に暗いこと。だから一切の迷妄・煩悩の根源である。生老病死などの一切の苦をもたらす根源として、十二因縁では第一に数える。

◆十二因縁

仏教では、人生の苦悩を克服するためにはどうしたらよいのかを追究します。そのために苦を四苦八苦に整理したり、苦集滅道の四諦が目標になったりしますが、因果関係を内容とする縁起の立場からの工夫があります。それを十二因縁（または十二支縁起とも）と言います。

『般若心経』の本文には、無明と老死しか出てきませんが、無明と老死は「十二支縁起」の最初と最後の項目で、途中の十の項目は省略されています。十二因縁は人生の苦の生起（順観）とその克服（解脱）（逆観）の教えで、次の十二の要素から成っています。この内容はお釈迦様の時代から少しずつ改訂され、今日に至ったようです（図4）。

①　無明（無知に覆われ囲まれている世界に生まれ）
②　行（我中心の意志的な行動をし）
③　識（ものごとを識別するために）
④　名色（対象世界の一々に名を付け、名を付けられる）
⑤　六入処（思考機能を含む感覚機能、眼耳鼻舌身意の六つの感覚器官により）
⑥　触（六入処とそれぞれの対象〈色声香味触法〉との接触があり）
⑦　受（苦・楽などの感受作用が起こる）
⑧　愛（対象への渇愛や）
⑨　取（執着により我がものにしたら手放さないところの）
⑩　有（渇愛や生存への欲求により）
⑪　生（生まれること、生むことへの欲求は強くなる）
⑫　老死（老い死にゆくことへの、愁い・悲しみ・苦痛・悩み・悶えが起こる）

図4　十二因縁図

十二因縁……現実の人生の苦悩の根元を追究し，その根元を絶つことによって苦悩を滅するための12の条件を系列化したもの

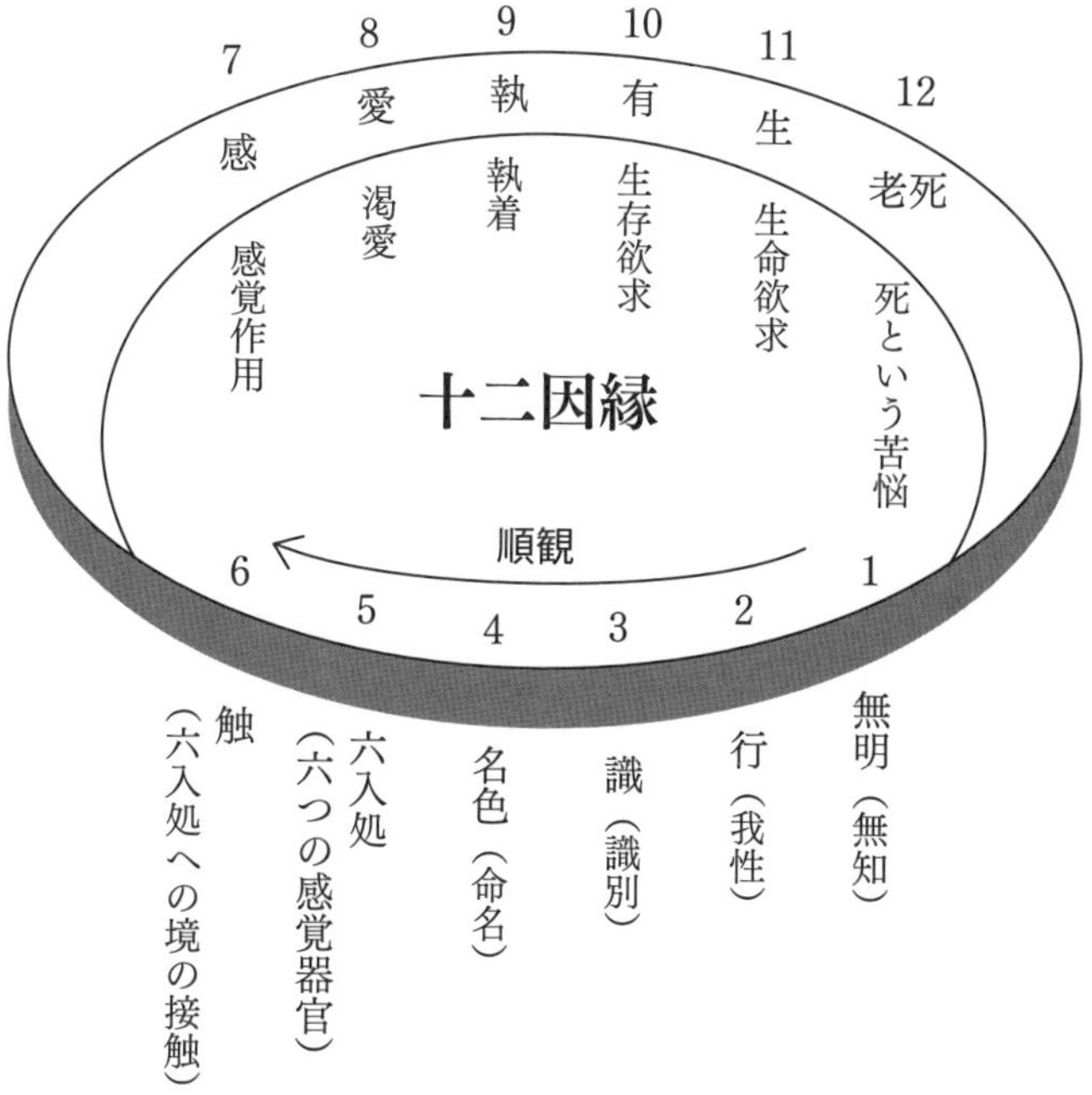

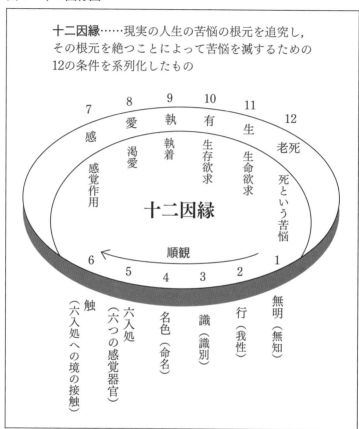

これが十二因縁ですが、全ての因縁が無の相（すがた）と受け取るように教えられます。この因縁の連鎖の見方として、無明から始まり、老死に至るところの苦が生じる順観と、苦悩の連鎖の始まりである無明から老死までのどこかを断ずれば苦悩が生じなくなる、だから輪廻もなくなるということを教える逆観があります。

この十二因縁の教えは、輪廻思想とは異なる仏法を衆生に受け入れてもらえるよう輪廻に対抗してまとめられたものと思われます。というのは、仏教の立場である縁起の法は、因果論を根柢として縁起・空、無自性・空として説かれますが、輪廻の思想には因果の法則がはっきりしないので、輪廻思想を因果（縁起）の法則から組み直すとこうなりますという表明だとも考えられます。

経文の勉強を進めましょう。

【無苦集滅道《むーくーしゅうめつどう》　無智亦無得《むーちーやくむーとく》　以無所得故《いーむーしょーとくこー》　菩提薩埵《ぼーだいさったー》　依般若波羅蜜多故《えーはんにゃはーらーみーたーこー》　心無罣礙《しんむーけーげー》　無《むー》
罣礙故《けーげーこー》　無有恐怖《むーうーくーふー》　遠離一切顛倒夢想《おんりーいっさいてんどうむーそう》　究竟涅槃《くーぎょうねーはん》】

〈書き下し〉苦集滅道は無　智も無また得も無　得るところなきをもっての故に　菩提薩埵は　般若波羅蜜多に依るが故に　心に罣礙なく　罣礙なきが故に　恐怖あ

ることなし　すべての逆さまな夢のような想いからも遠ざかり　究極の涅槃
に入る

【苦集滅道】 苦集滅道の四諦と呼ばれます。諦という字には、断念するという意味の「諦める」と、「明らかにする」という意味の二通りが考えられます。

苦とは、四苦八苦を代表とする苦しみ。活きること（生）ももちろん苦、年を取ること（老）も苦、病気をすることも（病）苦、死ももちろん苦です。ですから四諦とは、苦の原因と生、老、病、死のことで、生活することを他の生と区別せずに生一字で表しています。

集とは、苦が起こる原因のことで、渇愛、欲望などです。

滅とは、渇望・渇愛を停止することで、涅槃に入ることです。

道とは、滅に至る修行道のこと。正見、正思、正語、正業、正命、正精進、正念、正定のことで八正道《はっしょうどう》といわれます。

八苦とは、四苦（苦集滅道）に次の四苦を加えた合計八苦のことです。

愛別離苦《あいべつりく》、愛する人と別れなければならない苦しみ。

怨憎会苦《おんぞうえく》、憎い人と会わなければならない苦しみ。

求不得苦《ぐふとくく》、欲しい物が得られない苦しみ。

五蘊盛苦《ごうんじょうく》、食欲や性欲が強くて制御できない苦しみ。

【無智亦無得】出典がよく分かっていないのですが、龍樹の『中論』第二十四章に「聖なる四つの真理（苦集滅道の四諦）が存在しないなら、完全に熟知すること（智）、煩悩を断ずること（断）、道を修得すること（修）、ニルヴァーナを直接に体得すること（証）はあり得ない」とあり、無智亦無得の智と得はこの「智」と「修・証の得」と考えられます。

【菩提薩埵】菩提（悟り）を求める衆生のこと。菩薩は菩提薩埵の省略形。

【罣礙】罣礙の罣は邪魔すること、障害となること。無罣礙は否定型で、こころに間違いがないこと。矛盾的相即が分かっていること。

【涅槃】煩悩の火が吹き消された状態の安らぎで、貪欲の滅、瞋恚の滅、愚痴の滅をいう。貪はむさぼり、瞋は怒り、痴はやまいだれの知（おろか）。貪瞋痴は三欲と言われます。

【三世諸仏《さんぜーしょーぶつ》　依般若波羅蜜多故《えーはんにゃはーらーみーたーこー》　得阿耨多羅三藐三菩提《とくあーのくたーらーさんみゃくさんぼーだい》】

〈書き下し〉三世の諸仏は　般若波羅蜜多に依るが故に　阿耨多羅三藐三菩提を得たまえり

【三世】過去・現在・未来のこと。

【阿耨多羅三藐三菩提】 無上正等覚のこと、最高にして最も深い思想。

【故知《こーちー》般若波羅蜜多《はんにゃーはーらーみーたー》　是大神呪《ぜーだいじんしゅー》　是大明呪《ぜーだいみょうしゅー》　是無上呪《ぜーむーじょうしゅー》　是無等等呪《ぜーむーとうどうしゅー》　能除一切苦《のうじょーいっさいくー》　真《しん》実不虚《じっふーこー》　故説般若波羅蜜多呪《こーせつはんにゃはーらーみーたーしゅー》　即説呪曰《そくせつしゅーわつ》　羯諦羯諦《ぎゃーてーぎゃーてー》　波羅羯諦《はーらーぎゃーてー》　波羅僧羯諦《はらそうぎゃーてー》　菩提《ぼーじー》　薩婆訶《そわか》　般若心経《はんにゃーしんぎょう》】

〈書き下し〉故に知るべし般若波羅蜜多は　是れ大神呪なり　是れ大明呪なり　是れ無上呪なり　是れに匹敵する呪は無い　能く一切の苦を除き　真実にして虚ならず　故に般若波羅蜜多の呪を説く　すなわち呪を説いて曰く　おぎゃーぁおぎゃーぁ（新しいいのちの誕生だ　産みの苦しみ）ハラハラおぎゃーぁ（木の葉は枯れて）ハラソウぎゃーてい　（死ぬも生きるも）菩提そわそわ　そわか　般若心経

【是大神呪　是大明呪　是無上呪　是無等等呪】 是れとは『般若心経』のことの強調。呪は「じゅ」または「しゅ」とも読む。原義は神に告げる言葉であり、普通内容は祈りや願いであるが、呪いやまじないを意味することがある。

【即説呪曰】 呪とは短い祈りの文句のこと。経ではない、真言である。この真言の部分に関しては、中国を経て日本に伝わる過程において敢えて現地語訳をされてこなかった。日本の仏教界においても、長らく「真言は音で聞くことが重要である、解釈をするものではない」とする考えが主流であった。

真言宗の祖、弘法大師空海が真言について「一字に千理を含む」といったように、一字一字に仏の深遠な教えが内蔵されているのであって、これをすべて世俗の言葉に訳すとなると膨大な文字数となることは避けようがない。故に解読し訳すものではなく体解・感得すべきものとして扱われてきたのではないか。であれば、広く衆生に対しては「耳で聞くだけでありがたい」と諭すよりない。

このような経緯から真言の秘奥については秘密語とされ隠されてきたのであるが、今日においては情報技術の発達もあり、誰でも容易にその語句を検索し、意味の一部を知ることが可能である。

現代に生きる我々は、体得を経ずして触れる真言の現代語訳には細心の注意を払うべきである。正に「見性せざる人の多智広学は正法のあだなり」である。

例えば真言が「行け」と励ましてくれていても、目標が定まっていなければどうにもならない。行けとはどこに行けばいいのか、ちんぷんかんぷんだ。悟りの境地、涅槃へと修業を経て行け、と言われてもその方法もわからないのが普通である。真言の現代語訳をただ読むだけでは、仏教の肝心なところの何一つとしてわからない。

だから広く一般の衆生が真言に触れ、唱え、聞く時には先達たる仏を信じて、自分の心を全て預けることだ。心を全て仏に預けて自らは無心に真言を唱えた時、その祈り、願い、想いが発露する。筆者が解説文中に披露した「おぎゃーぁ、ハラハラ」という言葉も、筆者の祈りであり願いである。それは菩提を成就させるひとつのきっかけ、気付きである。真言によって顕わになった「他から照らされて見た自己」ということだ。

＊＊＊

六回を数えた『般若心経』の勉強会はいかがでしたか。皆さんには『般若心経』に世界成立の真理が書かれていることを知っていただき、特に「色即是空　空即是色」の「即」について納得がいくまで考えてほしいと思います。分かるかどうかは、分かるまで考え続ける忍耐が有るかどうかの問題です。それには目的意識の持続、不安や苦悩の真実を考え続けることが大切だと思います。

『般若心経』のあとは、仏教哲学の中心テーマである矛盾的相即について、この本を読んで理解を深めていただきたいと願っています。

第二章　相即の知

この二法身は異にして分かつべからず
一にして同ずべからず

――親鸞

【最終講義】善知識と相即の知との出会い

［九州大学医学部基礎研究B棟講義室、二〇一五年］

最終講義を聴きにきていただき、ありがとうございます。最終講義というと今まで他人事のように思っており、いざ当事者になってみると何を話そうかと迷いましたが、私がこれまで学んできた仏教・西田哲学と、それをわかりやすく説明していただいた在野の仏教哲学者・中山延二先生の矛盾的相即の話を感謝を込めてすることにいたします。

はじめに――私が求めていたもの

始めがあるものには必ず終わりがあります。一人一人の人生にも仕事にも、終わりがあって非連続ですが、非連続のものが連続して人間のいのちや生活の営みが続けられていきます。西田哲学では、これを「非連続の連続」といいます。

始めと終わり、非連続と連続、他人事と当事者など、世界は互いに相反しているものが結合即分離、分離即結合という関係で成り立っています。そういう関係の論理を、仏教では「即の論理」、または「相即の論理」と呼び、哲学的には西田幾多郎は「矛盾的自己同一」、中山延二は「矛盾的相即」と表現しています。

ギリシアでは哲学の動機は「存在に対する驚き」でしたが、西田幾多郎は「哲学は我々の自己の自己矛盾の事実より始まるのである。哲学の動機は『驚き』ではなくして深い人生の悲哀でなければならない」と述べています（『西田幾多郎全集　第六巻』「場所の自己限定としての意識作用」岩波書店、一九四九年、一一六ページ）。

自己矛盾の最たるものは、我々は死ぬことが決まっている命を生きているということでしょうか。そして人生の悲哀――私の場合は将来への漠然とした不安、見えてこない真の自己、世界の成り立ちへの無知が大きな疑団になっていました。

私が求めていたものは知識ではなく、ホーキング博士の言う「宇宙成立の真理はどこにでもある。それがわかれば宇宙全体の成立がわかる」というようなもの。また、中山延二先生が言われた「哲学者であればすべて、これがわかれば解決のつかないものはない。全てがここから出てここへ戻る、というようなものを求めなければならない」というものです。この世界成立の真理を知りたい、その真理に添って生き、考え、生活したいとの欲求が常にありました。

不安、闇、無知、答えを知りたい、問題を解決したいという欲求を満たしてくれる先達（善知識）に運良く出会ったことが、私のその後の人生を導いてくれたのです。

善知識との出会い

仏教では、正しく仏道へと導いてくれる指導者や先輩のことを善知識と言います。「何事も先達はあらまほしきものなり」とは『徒然草』の一節ですが、何事にも増して良き指導者が必要なのは宗教の世界です。道元禅師も「正師を得ざれば学ばざるには如かず」（『学道用心集』）と言っています。

辻宗哲和尚との出会い

私が最初に出会った師は、海印山是心寺・辻宗哲和尚様でした。高校二年生のときで、同級生の緒方洋くんが紹介してくれました。座敷で机をはさんで初めて対面したとき、きれいに剃髪された頭、ぎょろっとした目、耳が異様に高い位置にあるように見えたことが印象に残っています。初対面にもかかわらずやさしく気高く美しく接していただきました（これには奥様の印象が重なっているかもしれません。奥様は朝日俳壇の常連です）。

人との出会いはそれまでも少なからずありましたが、和尚さんとの出会いはそれまでの出会

辻宗哲和尚様と大学生の頃の著者
（昭和43年頃，平戸にて）

いとは違い、初めて体感するさわやかさがありました。そして私が持てあましていた、さまざまな問題が解決されるような〝開け〟を感じました。

まもなく和尚さんから華厳の「事々無礙、理事無礙」の話を聞き感動し、妙心寺で本格的に修行を積むと、こんなに素晴らしい智慧と人格を兼ね備えた人間になれるのかと、憧れさえ抱きました。私の心に宗教の火をともしてくれたのがこの和尚さんだったのです。坐禅会で覚えた『般若心経』『白隠禅師坐禅和讃』、その頃に出会った久松真一博士の『人類の誓い』は今でも人生の支えとなっています。

しかし、熱心なご指導にもかかわらず、和尚さんが言っておられる「不一不二」、「一如」、「一体」、「無礙」など語句の意味と正覚（悟り）との関係、またお経に出てくる「色即是空」が何を意味しているのか、分かったようで分からないという状態が続きました。そういう表現の中に真理があるだろうと感じてはいましたが、仏教論理の古典的表現は私の仏教理解を妨げるものでもありました。

ある日、お寺を訪ねるとちょうど茶道のお稽古の日で、和尚さんは正装をされて客として茶を飲んでおられました。飲み終わって「ワシがお茶を飲んでいるのか、お茶に飲まれているのかわからんもんね」と言われました。この言葉も大きな疑問となりました。

また、ある日NHK教育テレビで聴いていたある牧師さんの話の中に「逆説の中にこそ真理がある」という話がありました。このことは、矛盾を含んで真理があるということ、真理は矛盾をさけては語れないということを意味しました。それからは矛盾を含んだ語句、例えば、臨済禅師の「求めれば叛《そむ》く」や道元の「放せば手に満てり」という言葉がこころにいつも引っかかって、私のこころはすっきりしませんでした。

そして、私は大学に入りましたが、ちょうど学園闘争が盛んなときであり、マルクス主義の本を読み、その理論的な完璧さに興味を持ったりしました。卒業式のない大学卒業と一年間の臨床研修のあと大学院は細菌学教室に入り、仏教もマルクス主義もこころに引っかかったまま免疫学と細菌学の研究に没頭しました。

大学院を卒業して、九州大学の細菌学教室で二年間助手を務めた後、昭和五十六（一九八一）年三十一歳のとき、産業医科大学に微生物学の講師として勤めることになりました。教授は水口康雄先生で、自由に実験をさせていただきました。

本多正昭先生との出会い

産業医科大学は医科単科大学であり、教養部の先生方とは同じビルの同じ八階に研究室があったものですから、すぐ教養部の先生方と親しくなりました。産業医大には哲学の教授がおられ、本多正昭先生と言われました。本多先生は縁あって北九州市に新設された産業医科大学の哲学の初代教授として昭和五十三年四月に着任されていました。

産業医大には、初代学長・土屋健三郎先生の「生涯にわたって哲学する医師を養成する」という建学の使命があり、本多先生はそれを実践しておられました。

若い時にニーチェに心酔し、のちにカトリック信者になった本多先生はイエズス会修道士として香港やマニラに行き、そこで腸にガスがたまるという心身症を患って帰国されました。友人の勧めで虎穴に入る思いで中山延二先生の門をたたき、中山先生に参師聞法して仏教の即の論理を体得されました。それはお風呂に入っていてお湯の熱さが身体に沁みるような感覚だった、と述懐しておられます。

本多正昭先生

間もなくして私は本多先生の研究室にお邪魔してお話を伺うようになりました。本多先生が語られた「すべてが隠顕倶成です」という言葉に惹かれその意味をたずねたところ、中山延二先生の矛盾的相即を教えていただきました。「隠顕倶成」は中山先生の著書『華厳哲学素描』（百華苑、一九七八年）に出てくる「華厳十玄」の中の隠と顕の矛盾的相即を表す重要な言句であったのです。このことが引き金となって、私は中山延二博士の著書をむさぼるように読みました。

在野の仏教哲学者・中山延二博士との出会い

本多正昭先生からご紹介いただいた中山延二先生は、晩年に武庫川大学教授を経験されていますが、もともと小学校の校長先生や神戸市の教育長を務められた在野の哲学者であり、浄土真宗の信徒として親鸞聖人に厚く帰依しておられました。『仏教に於ける時の研究』（興教書院、一九四三年）により、京都大学で学位を取得されました（旧制で最後の博士号取得だったそうです）。『本来の教育哲学』（百華苑、一九七二年）、『親鸞聖人の論理的自覚』（同、一九六四年）、私も学生さんとのセミナーでテキストとして使った『現実存在の根源的究明』（同、一九七一年）、『仏教と西田・田辺哲学』（理想社、一九六五年）など多くの著書があります。

中山先生は三十代は三時間の睡眠しかとらずに仏教の勉強に打ち込んだと回想しておられます。中山先生は「西田哲学は仏教哲学であり、私がいう矛盾的相即がわからないと西田哲学もそのもとである仏教哲学も理解できない」と言い切っておられ、西田哲学の探究も仏教哲学探究の延長線上にあったと言えます。

中山延二先生（中山先生の六回忌にあたり編集された遺稿集「無上正真之道」神戸宗教哲学研究会，1992年より）

西田哲学に挑戦して、その難しさに難渋して、途中で勉強を中断した人は多いと思います。私も『善の研究』まではなんとか読めましたが、そのあとに出てくる「行為的直観」や「表現せられるものが表現するものである」「一般者の自己限定」「絶対矛盾的自己同一」などとなると、頭の中に砂を混ぜられたような感覚を持ったものです。しかし中山延二博士の講義や著作のお陰で少しずつ西田哲学も分かるようになってきました。

中山先生は仏教論理を真に理解・体解し、西田先生が長年の思索ののちに到達した究極の真理「絶対矛盾的自己同一」を真に継承発展させた学者の筆頭であると思います。私は二回ほど中山先生の講座を拝聴する機会に恵まれました。一度対面すると忘れられない風格、ご人格を感じました。

相即とは何か——矛盾的相即との出会い

即はもともと華厳仏教で、「一即多、多即一」といわれ、『般若心経』で「色即是空・空即是色」の即と言われたものですが、この即に論理構造があることは西田先生、中山先生の研究によって明らかにされたと思います。「即」は西田先生によって、絶対矛盾的自己同一、あるいは逆対応と表現され、さらに、中山延二先生により矛盾的相即と再表現されました。

中山延二先生は「即」が矛盾・対立したものを結びつける字であり、そういう論理性があること、矛盾しているからこそ結びつく、というのが即の論理であると説明されました。だから、矛盾したものは結びつかないというこれまでの矛盾に対する考え方とは根本的に違うのです。そして、矛盾したものがお互いに相即しているので中山先生はこれを「矛盾的相即」と呼びました。さらに中山先生は仏教の縁起・空が論理的には矛盾的相即のことであると明言されました。

中山延二先生が世界成立の真理である矛盾的相即の論理を説明するのに使ったのは、法性《ほっしょう》法身《ほっしん》と方便法身の二法身が、「異にして分かつべからず、一にして同ずべからず」の関係になっている、という説明でした。

これは曇鸞《どんらん》大師（北魏から北斉にかけて活躍した中国の高僧）の著書『浄土論註』をうけて、親鸞聖人が『教行信証』の証の巻に書き記したものです。この賢察により、矛盾的相即の論理がいっそう明らかになりました。一部を引用します。

「なんがゆえぞ広略（総論・各論）相入を示現するとならば、諸仏菩薩に二種の法身まします。

一つには法性法身、二つには方便法身なり。法性法身によりて方便法身を生ず。方便法身によりて法性法身をいだす。この二法身は異にして分かつべからず、一にして同ずべからず。このゆえにして広略相入して、統ぬるに法の名をもてす。菩薩もし広略相入をしらざれば、すなわち自利利他するにあたわず」

さらに中山先生の「この世にあらわれるものは必ず矛盾をふくんでいる」とか「具体的なものはいつも相手側に根拠をもって成立する」などの説明はとてもわかりやすいものです。

矛盾的自己同一と矛盾的相即の違い

ところで何故中山先生は、西田の矛盾的自己同一を矛盾的相即と表現を変えたのでしょうか。「同一」とは、A＝Aということです。「自己同一」というのは、自己＝自己、自己は自己なり、ということです。これに「矛盾的」がついて矛盾的自己同一となりますと、自己は非自己を含んで、または、非自己に依って自己である、非自己に根拠をもって自己である、ということになります。このときの自己は自己自身のことであることはもちろんですが、この世界に存在する全ての個物について例外なく言えることなのです。しかし、何が自己と同一なのか、逆に何が矛盾的と言えるのか、さらに自己同一性を持ち出すことは困難な面もあると思います。また、矛盾と言えるのは「場所」の矛盾であって有の世界の現象ではない、との議論もあります。

これらの矛盾的自己同一が抱える困難さに対し、矛盾的相即というネーミングは自己と非自己の関係に片寄っていません。世の中の成立が対概念で説明できるものが多いということに注目しますと、私は自己同一よりも相即の方が多様なことを説明しやすいように感じます。

相即の場合は、二つの項あるいは命題の間に、対立と期待の異なった二つの方向があり、その運動の強さと方向はさまざまです。矛盾的相即の他に、対立的相即、さらには相手方の協力を待つ場合には矛盾的相待という風に分ける表現を工夫できるのではないかと愚考します。

では、矛盾的相即とは具体的にどういうことでしょうか。

矛盾したものの相即は自然界でもよく観察される真実です。物理の世界では光の粒子性（非連続）と波動性（連続）が相即しています。これは相補性として有名ですが、ヨーロッパではせっかく光の相補性を発見しながら「相即の論理」へと発展させることはありませんでした。

物理の力学分野では作用があるところには必ず反作用があり、作用するものと反作用を受けるものとが受ける力の向きは反対であるが受ける力の強さは同一であることを教えています。

化学では溶液における溶質の溶解の程度は結合定数や分離定数を測定します。結合と分離がいつも同時に起こっていることが分かります。「同時に」矛盾することがおこっているということは大切なことです。と言うのは時間をずらしたから矛盾したことが起こっているわけではないということです。

生物の呼吸というのは吐く息と吸う息は方向も意味も異なるけれども呼気と吸気の二つを分けることはできないということを示しています。心臓の動きも、心室と心房の動きが心室が収縮するときは心房が弛緩し、心室が弛緩するときは心房が収縮するというように、収縮と弛緩が交互に起こります。

私が専門にしている病原体（細菌やウイルス）と生体の防御機構はお互いが相手側の存在、病原体にとっては生体の防御機構、生体にとっては病原体により、進化してきています（薬剤耐性や免疫など）。これを共進化と言います。これも相依相成という相即関係の典型例です。このように矛盾的相即は自然科学の世界でも成立しているのですから科学的真理と矛盾的相即は矛盾しません。そして矛盾的相即が非科学的と批判するのも当たらないのです。むしろ、非科学的な分野にも適応するのですから、世界成立の真理であることを支持しています。

おわりに――生死一如

「一即多・多即一」は『華厳経』以来の仏教の基本概念です。「一即一切・一切即一」とも言われます。縁起を基にして限りなく関わりあうモノ・コトの相互関係を示す。あらゆるモノ・コトがその本質から見て一体的であること。哲学的には誤解を避けるために、一は全体的一と表現され、多は個物的多と表現されることが多いです。「存在が花している」というとき、存在は目に見えない全体的一であり、花はこの世に顕われている個物的多であり、花は個物的多でありながら同時に全体的一である、ということなのです。

また、有と無の問題は哲学の根本問題ですから、中山先生も念を入れて説明されました。有と無の無は欠如と考えていては本質がわかりません。無が有の根拠であること、隠《かく》れたものと顕《あらわ》れたものが「ともになる／倶成《ぐじょう》」ということがわからなければなりません。

例えば水は、方円の器に従う、と言われるように水はどんな形にもなることができます（有）。それは水には決まった形がない（無）からです。氷になると一定の形がある（有）のでどんな形にもなること（無に支えられた有であること）はできないのです。この例は有であるためには無でなければならないことを示しています。無は有の根拠であるとも言えるでしょう。

そして、私たちは必ず死にます。「生死一如《しょうじいちにょ》」と言います。生きているものしか死ぬとは言わないのですから生と死は異なっているけれど分けられません。分けられないのは生と死が同じ範疇に乗っているからです。一如とは矛盾的相即に他なりません。

私たち人間の一番の不安は結局は死ぬということにあります。しかし、全体的一として存在していること、無に支えられた有であると意識してみること、一如の生死の中にそれでも、今、自分があるということ、このように捉えてみたら、世界が鮮やかに見えてきませんか。

最後に一つのエピソードを紹介します。

「身心一如」という言葉は、心療内科学の哲学的基礎です。九州大学医学部心療内科の初代教授であった池見酉次郎先生は、晩年に本多正昭先生から「一如」という意味が矛盾的相即であるということを教えられ、たいへん感激をもってそれを論文にしておられます（池見酉次郎・弟子丸泰仙著『セルフ・コントロールと禅』ＮＨＫブックス、一九八一年）。人間心理の研究と臨床を掘り下げられた究極の底に、仏教哲学の真理と邂逅された、ということだと思います。

私がこれまでの人生で出会い導いてくれた善知識と矛盾的相即について述べてきました。さまざまな出会いを経て、ついに長年求め続けた真理にたどり着けたと思います。

皆さんが抱える不安や疑問への一つの答えとして、興味を持っていただけたら幸いです。

矛盾的相即の論理の探究

［人間研究会での発表、二〇一九年八月］

西田による論理の定義

哲学の最大にして最重要なテーマは、存在はどのようにあり、それをどのように知るかであるが、「どのように」がすなわち「論理」である。論理とは一般に、思考の形式のことを言う。例えば弁証法的論理学（ヘーゲル）や現象学的論理学（フッサール）などの特徴的な論理がある。

これに対し西田は、「論理とは絶対者の自己表現の形式」「論理とは歴史的生命の表現的自己形成の形式」と論理を定義した。西田は形式よりも、モノ・コトの真偽の基準となることが論理の重要な役割であると考えていた。

西田哲学は仏教哲学であると言われるように、西田は多くの仏教的表現を引用している。注目すべきは人間の人為的思考の基準から論理を考えるのではなくて、仏教でいう如く、「法界のままに知る」「無にして聞く」ことの大切さが言われる。「法界のままに知る」とは作為的、人為的な考え方を入れないで、存在の「あるがまま」に認識するということ。そのために「無にして聞く」ことの大切さが言われる。それにより人為的、作為的論理形成を免れることができる。その他に、物になってみる、物になって聞く、見るもの無くして見る、聞くもの無くして聞く、などの表現がみられるが、いずれも主観を排除して、あるがままに見るためである。

西田は世界成立の真理が本来の論理であり、思考の形式とは区別した。私は西田による定義が真理であると思う。

仏教の論理――八不と四句

「阿含経」にある縁起の定式化は仏教論理の深化をもたらした。龍樹（ナーガールジュナ、一五〇年頃～二五〇年頃）の著作『中論』の帰敬偈《ききょうげ》には、「不滅不生、不断不常、不一義不異義、不来不出」とある。これらの否定型はふつう「不生不滅、非常非断、不一不異、不去不来」の順序で書かれ「八不」と呼ばれている。

『中論』十八章十一には「[もろもろの事物の真の本性は]同一のものでもなく（不一）、異なった別のものでもなく(不異)、断絶するのでもなく(非断)、常恒に存在するのでもない(非常)。これが世の人びとの主であるもろもろのブッダの甘露（引用者註：飲めば不死を得るとされたお酒のこと）の教えである」とある。不一・不異、非常・非断で四不と言われる。

この「八不」は、同じく龍樹が述べた「四句」の論理から生まれるが、四句の説明として、私たちになじみのあるディレンマから考えてみよう。

「在るべきか、在らざるべきか、それが問題だ」は、ディレンマに陥ったハムレットの独白である。二つの相矛盾する選択肢の間で身動きがとれない状態をディレンマに陥るという。

ディレンマの「レンマ」という言葉はギリシア語に由来し、もともと「把握する、手でつかむ」という意味であるが、「具体的にして直観的な理解の仕方」をいい、ロゴス（論理）と対比的に使われる。ロゴスに対してレンマがあり、ディレンマに対してテトラレンマという論理が東洋にあることを示したのは哲学者・山内得立《とくりゅう》である（山内得立『ロゴスとレンマ』岩波書店、一九七四年）。

ディレンマはAか、非Aかの二者択一である。「ニワトリが先か、タマゴが先か」という疑問には答えることができずに我々はディレンマに陥る。テトラレンマによる質問はこのディレンマに、さらに二つのレンマを加える。その二つとは「単にAでもなければ、単に非Aでもない」（両方の否定）と、「Aでもあるし、非Aでもある」（両方の肯定）というものである。

龍樹が述べたテトラレンマは次のようである。

龍樹は『中論』十八章八に「四句」（または四論）と呼ばれた論理を取り上げている。四句とはあらゆる立言が収まる四つの基本的表記形式のことで「四句分別」とも言う。内容を真と偽で表記し、形式を肯定・否定・両否・両肯で表記する。

（1）一切はそのように［真実である］（真、肯定）……第一のレンマ
（2）一切はそのように［真実］ではない（偽、否定）……第二のレンマ
（3）一切はそのように［真実であるのでない］し、またそのように［真実ではないのではない］（第一のレンマと第二のレンマの両方を否定。両否）……第三のレンマ
（4）一切はそのように［真実であり］、またそのように［真実ではない］（第一のレンマと第二のレンマの両方を肯定。両是）……第四のレンマ

インドの古い時代に六師外道という学派があり、元は①肯定、②否定、③両肯、④両否の順序であったが、山内得立は著書『ロゴスとレンマ』の中で、四句のうち、両肯から両否は出てこない、両否からこそ両肯が出てくるとして、前記のとおり第三のレンマ（両否）、第四のレンマ（両肯）と順序を逆にした。テトラレンマの第一と第二のレンマだけの論理はディレンマとなる。そしてテトラレンマの第三と第四のレンマから矛盾的相即の論理が生まれる。

山内の第三のレンマ「単なるAでもなく、単なる非Aでもない」は八不的否定的表現の両方

否定（両否）である。この第三のレンマから八不が生まれる。八不とは先に述べた不生不滅、不一不異、非常非断、不去不来の八つの否定的語句のこと。八不は八不中道に発展し、辺より中を大事にする。矛盾の否定は対立する相手を否定するがレンマの両否は自他をともに否定する、と山内は述べている。

テトラレンマの両否・両肯から即の論理へ

「Aでもあり、非Aでもある」は両否の否定であるところの両是である。「一而異、一是異」と肯定的に表現できる。第三のレンマ「両否」から第四のレンマ「両肯」への転換はレンマの論理だから可能なのであって、ロゴスの論理では矛盾といって排斥されるであろう。山内は、テトラレンマのうちの第三と第四のレンマが即の論理になることを主張した。その論理的裏付けを試みる。

即の論理を親鸞は『教行信証』の中で「相反するモノ・コトが、異なっているが分けられない、一つだけれども同じでない」と法性法身と方便法身の関係を例にして説明している。「異なっているが分けられない、一つだけれども同じでない」は、内容も順序も変えることはできない。「異なっていて同じでない、一つであって分けられない」では矛盾がどこにもない。これは世俗諦である。「異にして不可分、一にして不可同」でなければならず、この二句として書き直すことができる。不可分・不可同は両否を内容とするテトラレンマの第三レンマに相応し、「異にして一」「異而一」は内容は矛盾であるが両肯を形式とする第四のレンマの形式になる。

次にこの二句の肯定的表現の部分と否定的表現の部分をそれぞれまとめると「異にして一」、「不可分にして不可同」となる。従って次に、「異にして一、不可分にして不可同」が即の論理になっているかどうかの検証が必要である。

中山先生が説明に用いる「結合即分離、分離即結合」は即の論理の代表的な例である。我々が当面している「異にして一、不可分にして不可同」を結合と分離を使って言い直してみる。異にして一は「分離しながら結合」となり、「不可分にして不可同」は「結合しながら分離」というふうに語順は逆だが同じ内容となる。即をやさしい言葉で表現した「二つで一つ、一つで二つ」も「異にして一、不可分にして不可同」に相応する。「異にして一」も「不可分にして不可同」も即の論理を破らずに、矛盾の自己同一を表現している。西田が矛盾的自己同一と表現した論理も即の論理であることが証明できると思う。

テトラレンマ＝ディレンマ（第一と第二のレンマ）＋即の論理（第三と第四のレンマ）である。

以上、テトラレンマの第三と第四のレンマから即の論理が導かれることを述べた。それでは逆に即の論理からテトラレンマの第三と第四のレンマが導かれるだろうか。

即の論理では相反するモノ・コトが即で結ばれる。有と無は即の関係であり、「有即無、無即有」である。また「色即是空、空即是色」である。即の関係にあるモノ・コトは順序を逆にしても真でなければ、即の論理は成立しない。これは即で結ばれるどちらの一方にも優劣の差を付けることを拒否するから、そのことを強調するために、有即無に対して無即有、色即是空に対して空即是色、と『般若心経』のように逆向きに並列できるかどうかを検討し即の論理の真か偽を確認をするのが条件になる。逆方向も真でなければ正しい即の論理とはいえない。

先ほど示した「異にして一、不可分にして不可同」は「異にして一」は肯定の形式、「不可分にして不可同」は否定の形式に成っていること、「異にして一」の異と一が矛盾の関係、「不可分と不可同」も矛盾の関係でありながら、「異にして一」は両方肯定的形式、「不可分と不可同」は両方否定的形式となっており、それぞれテトラレンマの第四と第三のレンマの形式と相応する。よって即の論理とテトラレンマは同じ論理であるといえる。

「即」の字が使われた理由

仮名で書く「すなわち」には、①直ちに、すぐに、②そこで、そうして、③いいかえれば、とりもなおさず、④そうなるときには、の意味がある（『広辞苑』参考。

一方、「すなわち」と読む漢字には、即ち、則ち、乃ち、便ち、などがある。「則ち」には道理・手本・基準に則《のっと》るの意味があり、「乃ち」にはそこでやっと、そこではじめて、そこでしかたなく、それなのに、まことに、これこそ（強調の意味）、意外にも、などの使い方が有り、「便ち」にはすぐに、急に、のほかに、とりもなおさず、すなわちこれ（便是）などの使い方がある。「即ち」はとりもなおさず（原因と結果が直結する意）、つまり、これの場合は、と訳し強調の意を示すほか、時間的にすぐに、ただちに、の意がある。これらの中では「即ち」を使うのが新しい論理を説明するのに最も理にかなっている。

また、即の旁《つくり》が「割り符」（シンボルの本来の意味は割り符）を意味し、割り符は「別々のように見えていても、それが本来は一つであることを示す」ので、その意味で「即」が使われた、との説もあり興味深い。

第4のレンマ（両是）の「一而異」を「一即異」（同一でありかつ同一でない）、「常而断」を「常即断」（常にして断、非連続の連続）、「色而空」を色即空と表現した（色即是空の是は強調である）。

相反するものが即で結ばれその論理性が明らかにされた。「即」の語は矛盾・対立・相対するものの関係の仕方を論理的に言表することになった。これらの関係のいずれもが相待的、相依的であるから即は「相即」ともいわれる。相反するものは、論理的に矛盾、存在論的に対立であり、いずれでもなければ差異である。

八不も即の論理もテトラレンマの第三レンマ（両否）とその否定の否定・第四レンマ（両是）から言えることであって、これが縁起（世の中の成立の真理を表現するもの）の縁の結び方（関係）の論理となっている。否定の否定は否定を媒介とするのであって、そのほかの何かが媒介するのではない。これもレンマがロゴスと異なる点である。

四句と百非の超越

「摩訶衍《まかえん》（大乗仏教のこと）の法は四句を離れ百非を絶す」と『無門関』「三座説法」にある。また、『碧巌録《へきがんろく》』本則七十三には「僧、馬大師に問う、四句を離れ、百非を絶す、師に請う、直指某甲西来意」とある。

「摩訶衍の法」とは「即」の論理を意味する。「百非」は有る限りの否定形式を指す。「四句百非」でいっさいの言語表現をあらわす。「四句を離れ」の「離れ」と「百非を絶す」の「絶す」は「超えている」と解釈する。

つまり、「摩訶衍の法は、言葉では表現できない」ということになる。

仏法を尋ねられても「維摩《ゆいま》の沈黙雷の如し」と沈黙で対応し、『碧巌録』第四十一則「趙州大死底人」の垂示「是非交結の処は聖も亦た知る能わず。逆順縦横の時は仏祖も弁ずる能わず」は摩訶衍の法の言語表現の困難さを詠っている。あくまでも「不立文字、教外別伝、直指人心、見性成仏」である。冷暖自知といって、経験をして、からだ全体で分からないといけないのだ。

世の中には言葉で表現できないものがたくさんある。アフガニスタンで食べたハルブザという瓜の味、フィリピンで食べたアップルマンゴーの美味しさ、座骨神経痛の痛さとギックリ腰の痛みの違いなど、これらを説明せよと言われてもとてもできるものではない。究極の涅槃も言葉で説明はできない。

論理の形式と法則は西洋を中心に展開されてきたが、東洋には龍樹の『中論』（八不、四句）や「即」の論理など、西洋には未到の論理がある。それは言葉では表現できないとされながら、東洋においてさまざまな宗教者や思想家たちが時代を超えて感得してきた。

私は矛盾的相即の論理を知り、それを基礎にした世界観、人生観をもつことになった。即の論理のほかに真理を求めることがなくなり迷わなくなった。と同時に何が真で何が偽であるかの判断基準を得た。矛盾的相即はあらゆる学問の根柢になるものであり、かつ、日常的諸問題の解決の基本的立場である。さらに現代という時代にあわせて即の論理を説明し、広めることが私たちの使命である。

「対・変化・空存」矛盾的相即をめぐる論理的諸問題への提案

〔二〇一〇年〕

中山延二先生は、「仏教では例外があるものは真理とは言わない、矛盾的相即は例外なく、すべてに適用できる世界成立の真理である。すべてがそこからそこへ、という真理である」と言っておられる。科学の発達により日々新しいことが発見され、新しい仮説が発表されている今日、これらを矛盾的相即で説明できるかどうかを検討することは、私たち相即を伝道する者の任務であると考える。本稿は「対《つい》の思想」「変化」について考察し、私が直観した「空存」という新しい表現の試みについて紹介したい。読者の意見もうかがいたい。

対の思想――すべての存在は対として存在するのか

矛盾、対立はすべて「Aと非A」という「肯定と否定」の「対」として表現される。概念思考においては「分」「識」によって概念が生まれるのであるが、「対概念」という用語があるように、対として概念が生まれることは多い。それでは意識以前、概念以前の事実として「対事実」というものがあるのか、またはすべての実在は「対実在」としてあるのか、という疑問が生まれる。

これまで多くの哲学の根本命題が、対として論じられてきた。弁証法におけるテーゼとアンチテーゼ、フッサールの現象学のノエマ（意識の対象）とノエシス（意識作用）、ソシュールの言語論のランガージュ（言語活動）におけるラング（言葉／記号体系）とパロール（言）、同じくソシュールの記号論における能記（シニフィアン、記号表現）と所記（シニフィエ、記号内容）、メルロ＝ポンティの身体性（触れるものと触れられるものが同一）、さらに老子曰く、「故に有無相い生じ、難易相い成り……」、易では陰と陽に分かれ、大乗起信論では一心が心真如と心生滅に分かれる、などなど。

これらはすべて主観と客観の相即をはじめとして、いわゆる「能所不二」に収まる。存在はすべて他との関係の中で存在する。関係するということは作用する（能）、作用される（所）の両方があるということである。仏教では「法界の如くに知る」ことが大原則である。「対」として人間が世界を認識するのは、世界が「対構造」になっているからであると言ってよいであろう。さらに、矛盾的相即の論理を、対の思想と位置づけていいだろう。

対の思想からは宇宙創成から生命誕生、人間の歴史を含めて歴史すべてを矛盾対の生成と消滅の歴史として把握することができるか、という問題が提出される。矛盾的相即が世界成立の真理であるならば相即史観を私たちはもたなければならないと思う。その際、絶対という語はなるだけ使わない方がよいと考える。

「変化」は矛盾的相即か——物質から考える

私たちの生活世界に存在するものはすべて変化する。諸行無常である。「存在に分《ぶん》の義あり」と中山延二先生は言われるが、「存在に変化の義あり」とも言えるであろう。変化という意味を『岩波哲学・思想事典』で調べると「同じものであり、かつ同じものでない」と書いてある。変化もまさに矛盾的相即として説明される。

変化学といってもいい学問領域がある。化学は文学どおり変化を研究する学問である。化学変化はふつう物質と物質の相互作用による変化を指す。一方「場の化学」といわれるものもある。場の状況により物質が変化する、その変化を研究する分野である。場には温度、イオン強度、pH、浸透圧などとその組合せによって多様な状況があり、それによって物質の性質が変化する。ふつう化学は分子レベルまでの変化を取り扱い、原子レベルの変化は物理（素粒子論）の領域となる。

物理学的には、変化は要素の組み合わせの違いによっておこるものと考えられる。分子は原子の組み合わせ、原子は素粒子の組み合わせによって形成され、それらの変化は組み合わせの変化として理解されている。

それではその変化はロゴや積み木のような不変の要素の組み合わせの変化であろうか、それとも、要素は組み合わせ（まわりの要素の影響）により変化するのであろうか。現在のところクォークは分割できない最小単位であり、不変の要素であるが、それを分割するためには地球規模の加速器が必要であるとされており、クォークが分割可能か不可能かを検証するのは大変むずかしい。産業医大物理学の准教授であった中野正博博士による。

しかし要素が変化しなければ他と結合することはできないし、何ら関係することもできない。「結合する」ということには「変化する」ことがなければありえない。要素は結合する相手により変化し、さらに相手側が関係するもう一つの他によって変化が生じるはずである。すなわち、ものが関係内存在であるかぎり、「不変の要素」というものはありえないということになる。つまりロゴや積み木のようなモデルで変化は説明できないことになる。

囲碁を例えると、囲碁は白と黒の二種類の石で争われるゲームであるが、同じ白石、黒石でも置かれる位置によって、また隣り合う石の違いによって、石の性質（意味や価値）が違ってくる。それを敷衍《ふえん》すれば物の一部でも変化すると全体の全ての要素の性質は変わるということである。

物質の変化ということも「不変の要素の組み合わせ」の違いで理解するのは誤っていると考えられるであろう。いわゆる他のものが存在しなくても独立して存在できるという実体とそれによって形成される世界という概念は虚構である。変化は「同じものであり、かつ同じものでない」という矛盾的相即でなければ把握できないということになろう。

弁証法としての即（即の弁証法）

次に弁証法を説明するスキームについてですが、ふつう弁証法は、図1のように表現される。これに対して私は、図2のようなスキームを提案したい。これは本質が不変でありながら変化するというものである。

互いに矛盾しているAとBがあると仮定する。AとBは本質の不変性を表し、下付き数字は随縁の変化を示す。AはBに作用して、AはA_1に変化する。A_1はBの作用を受けると同時にB_1に作用して、A_1はA_2に変化する。BはAの作用を受けると同時にA_1に作用して、BはB_1に変化する。B_1はA_1の作用を受けると同時にA_2に作用して、B_1はB_2に変化する。このようにして即の弁証法が進む。例えば、馬術競技では人馬は走り、人馬は跳ぶ。人馬は一体であるが、人と馬

図1　過程的弁証法の図

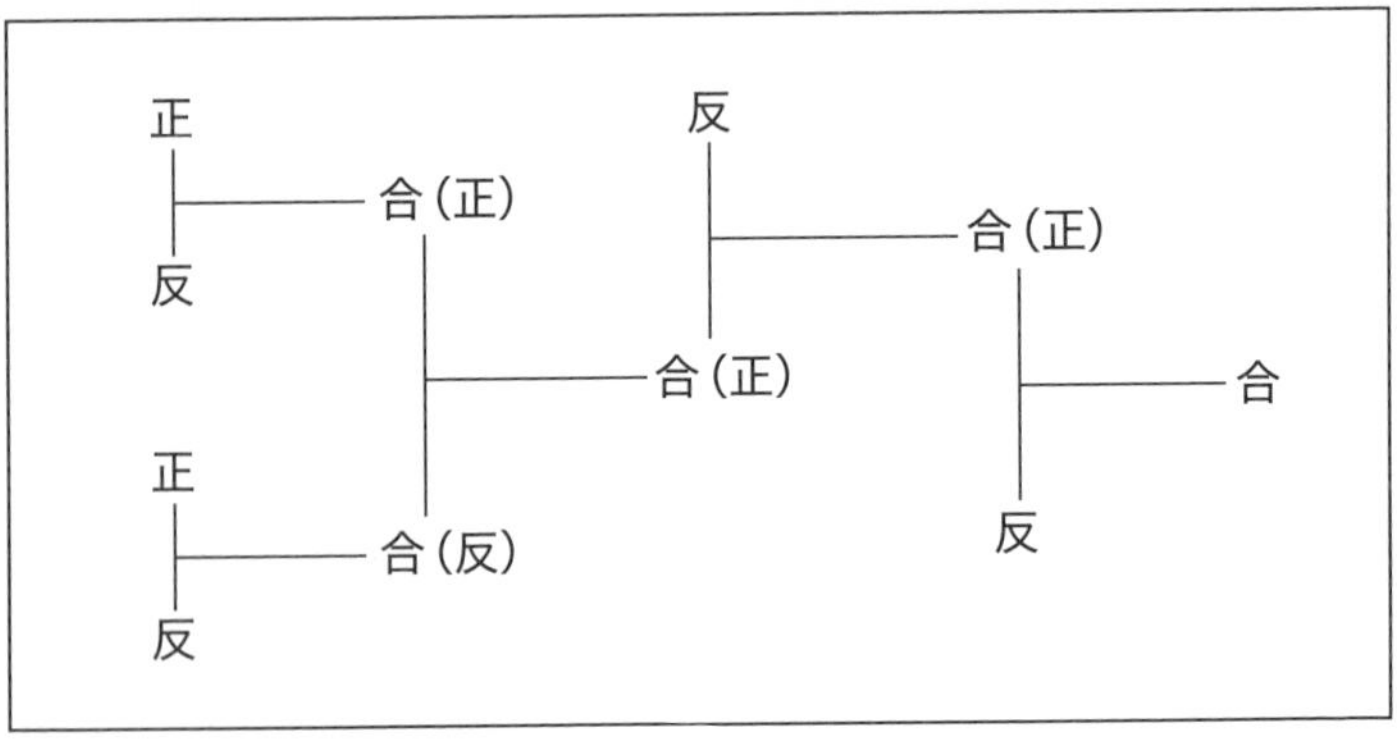

図2　即の弁証法の模式図

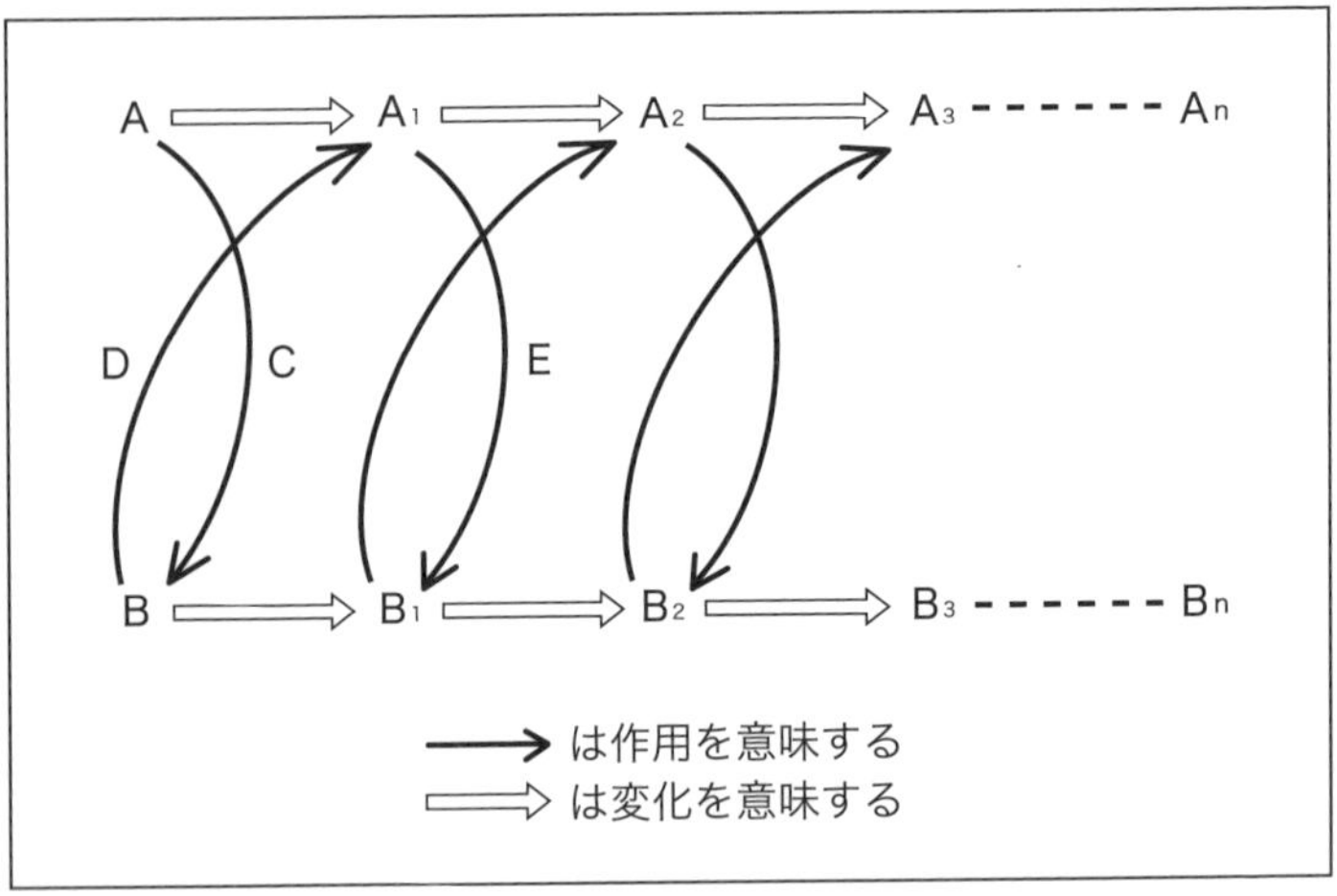

は同じではない。そんなイメージで図2を見るとお分かりいただけるだろうか。

筆者なりに新しい表現を模索している。中山先生は「矛盾的相即の論理」と名づけ、上田閑照先生は「矛盾的相即の道理」がよいのではないかと言われ、本多先生は「相即神学」を提唱しておられます。

「空存」と「空在」

筆者は「矛盾的相即の哲学」を学んでいると自分で思っていますが、「空存哲学」という呼び方を提唱したいと思います。もちろん、実存哲学や鈴木亨先生の「響存的世界」や「非在」という言葉も意識してのことです。空は「縁起・空」の空であり、「無自性・空」の空であり、「色即是空・空即是色」の空であり、絶対無分節の空、事に対して理としての空、唯識三性論の依他起性の空です。空存哲学によると、ものは「空存する」ということになる。ものは非在ではなく「空存する」。空存は無自性的存在であり、縁起的存在である。自性は「空自性」となる。

この新しい呼び方について、議論していただければ幸いです。

第三章

細菌学者が垣間見た哲学的世界

自然は目に見える精神であり、
精神は目に見えない自然であるはずだ
——シェリング

アンビバレンツ

アンビバレンツとは

愛と憎しみなど正反対の感情をある人に対して同時に持つことを、アンビバレンツ（AMBIVALENZ. 英語ではアンビバレンスAMBIVALENCE）と言います。AMBI－とは「両方」を意味する結合辞、VALENCEとは「価値」という意味です。多くの方が、ある人に対して愛と憎しみを同時に感じてしまって心が裂かれる思いに苦しんだ経験があると思います。例えば、愛する人に裏切られた時、敬愛する師に失望した時などがそうですし、また子供に対しての「可愛さ余って憎さ百倍」などという言葉もアンビバレンツをあらわしたものです。その他、独立と依存、期待と失望、自信と自信喪失、優越感と劣等感なども、アンビバレンツとして心に同時に起こることがあります。

手元にある辞書でアンビバレンツの意味を調べてみますと、『岩波小辞典 心理学』（第二版、

宮城音弥編）には「両面価値」と訳されており、

（1）好きと嫌い、イエスとノーというように、反対の傾向をしめす場合。統合失調症にはっきりした形でみられるが、ふつうの人間にも、多かれ少なかれ存在している（きらいな男の子供を産んだ女性の、その子供に対する気持ちなど）

（2）反対の性格特性、例えば親切と残忍というような性格が、ほぼ同じ程度に発展する場合

とあり、また、『南山堂医学大辞典』（第十七版）には「両価性」と訳されて次のように説明があります。

「相反する二つの感情、意欲、思考が同時に生じるもの。この対立は何らかの方法で調停されることなく、等価で出現するところに特徴がある。感情の面では、ある瞬間に同一人物を憎み、愛する。両者は相互に影響されず、火のように燃える。意欲の面にあらわれた場合は両価傾向といい、食べ、かつ食べまいとし、望まないことをなし、望むことをなさない。思考の面では、『私は神であり、悪魔だ』というように、ある意見とそれに反対の意見が同時に表明される。この現象は統合失調症に特徴的であり、E. Bleuler はその基本症状とした。またS. Freud は両価性を主に感情のそれと理解し、性本能と攻撃本能とが並存する前性器的発達段階において支配していると考えた。精神分析では、この感情両価性が一般に神経症にとって重要な意義をもつとされている。なおこの両価性は正常心理にも認められる」

辞書には、感情、意欲、思考という人間の三つの精神作用においてアンビバレンツが起こること、正常心理にも認められることが説明されています。

私たちはふつう、愛の対象と憎しみの対象という風に対象を二つに分けてアンビバレンツを避けています。そうしなければ感情を安定することができないのです。また、同じ人に対しても愛から憎しみへ、憎しみから愛へという風に感情を移動させ、それはそれなりにつらくても、矛盾した感情の同時生起を避けています。

しかし同一人物に対して同時に愛と憎しみが起こってくることが避けられない場合があります。その時、心の中の出来事をどう理解したらよいのか、またどう解決したらよいのか、たちまち困惑してしまいます。ふつうの思考では愛と憎しみは矛盾することだから、同時に同一の対象に対して愛と憎しみの感情が起こるとは考えられないのです。そのため正反対の感情が同時に同一人物に対して起こるとたいへん戸惑い苦しみます。この時、愛が憎しみを消したり和らげたりすることもなく、逆に憎しみが愛を凌駕することもなく同時に生起するのです。愛か憎しみか、どちらを取るかのディレンマの次元でもありません。なぜならすでに両方が同時に起こっているからです。

この苦しみは深いもので、自己の存在を根底からゆさぶるようにもなります。アンビバレンツは持続的に心の分裂を起こします。一方だけを残して他方を消そうとしても、それを消すことはできないからです。

アンビバレンツと隠顕倶成《おんけんぐじょう》

ふつう、人を愛する時は憎しみは隠《かく》れています。逆に人を憎んでいる時は愛が顕《あらわ》れることはありません。道元は『正法眼蔵現成公案』の巻で「一方を証する時は一方はくらし」と言っています。これは矛盾する二つのうち、一方が顕れている時（一方を証すれば）、他方は隠れている（一方はくらし）ということです。

ここでよく考えてみなければならないのは、一方が顕れている時、他方は隠れているが、それは顕れていないだけであって、隠れながら顕れるのを待っているということであり、隠れてはいるが成長している、動いている、変化しているということです。人への愛を育てている時、憎しみも同時に育てていると言うことができます。だから愛する人から裏切られた時に憎しみが突然顕れてきます。愛が強ければ強いほど、憎しみも強いのです。「月明かり照るほど暗し松の蔭」という句はそのあたりの消息を詠んだ句です。

賢首大師の「華厳金獅子章」華厳十玄の第三門に「秘密隠顕倶成門」があります。「隠顕倶成」とはこの世の中に顕れてくるもの（色の世界）とこの世から隠れているもの（空の世界）は別々にあるのではなく「倶《とも》に」「成《な》って」はじめて現成できる、という意味です。いつも対（ペアー）です。二つで一つ、一つで二つです。心の中の愛憎も隠顕倶成なのです。神のアガペーには憎しみが隠されているのでしょうか、これはキリスト教にとって大きな問題です。仏の慈悲には憎しみが隠されているのでしょうか、これは仏教徒にとっての重要な公案です。

アンビバレンツによる「即」への気づき

私はアンビバレンツに苦しんだ者の一人ですが、隠れているものを気づかせてくれるのがアンビバレンツだと私には思われます。だからアンビバレンツは「矛盾的相即」への気づきに我々を導いてくれます。アンビバレンツの体験の有無は、相即の論理が直観的にわかる人とそうでない人とに分かれる要因の一つと考えます。

私は精神療法においてアンビバレンツを積極的に利用すべきと考えるものです。即の論理をわかってもらえる好機と捉えるのです。親への依存心と親からの独立心との間で苦しんでいる若い人たち、上司と部下という人間関係で信頼と不信の間で悩んでいる人たち。これらのアンビバレンツを解決できるのは「即の論理」しかないのではないでしょうか。

矛盾的相即の立場は、心の中のトゲの如き憎き人をも、そのままトゲとして受け入れられるのではないだろうか、さらには、自己を否定する癌の如きものも受け入れられるのではないか。癌は自己を否定するものが自己から生じるというパラドックスである。それはアンビバレンツです。

アンビバレンツの体験は「即」への気づき、実存への気づきとなるものであり、それで私はこれを「神からの贈り物」と呼びたいのです。贈り物ですから自力ではありません。これを自分の力で気づくのは大変難しいことです。私も本多先生との出会いによって矛盾的相即の論理を知ったからこそ、こう書けると思うのです。矛盾的相即の論理はまたアンビバレンツが真の現実であることを教えてくれます。

アンビバレンツから「場所」の立場へ

アンビバレンツの苦しみは矛盾的相即の論理によって解決されることがわかってきましたが、アンビバレンツの解決は、アンビバレンツをそのままに許す、起こるままにまかせる、ということにしかないのではないでしょうか。「そのままに許す」、「起こるままにまかせる」ということころに、私は西田幾多郎の「場所」の思想があると思っています。アンビバレンツは矛盾したことが同時に同じ意識の「場所で起こる。これこそ「場所的論理」の原点なのではなかろうかと。

上田閑照先生は『西田幾多郎哲学論集Ⅲ　自覚について』の解説（岩波文庫、四〇〇ページ）の中で、「矛盾的自己同一の自己同一はあくまで場所の自己同一ということである。矛盾するAとBとが同一ということはいえない。AとBとが矛盾するという時、AとBとは同じ場所にある――もし同じ場所になければ矛盾ということは起こらない。この事態を西田は場所からみる。AとBとの矛盾は場所の自己矛盾であり、それを通して場所が場所自身を動的に限定してゆく」と述べている。AとBを愛と憎しみ、場所を心と置き換えて読んでみると理解が深まるのではなかろうか。

西田先生ご自身は『西田幾多郎哲学論集Ⅰ　場所・私と汝』（岩波文庫、一四一ページ）に「我とは主語的統一ではなくして、述語的統一でなければならぬ、一つの点ではなくして一つの円でなければならぬ、物ではなく場所でなければならぬ。我が我を知ることができないのは述語が主語となることができないのである」と書いておられる。

また、『自覚について』の中では「自己の存在ということは、基体的に乃至《ないし》実体的にあるということでもなく、また唯無限なる作用としてあるということでもない。〔略〕個物的多と全体的一との矛盾的自己同一として、場所的有といわなければならない。何故に場所的というか。かかる自己同一は、単に基体的と考えることもできなければ、単に過程的、作用的とも考えることもできない。連続と非連続と、直線的系列と平面的並列と、いわば時間と空間との矛盾的自己同一なるが故である。かかる場所的有、場所的自己同一とは、如何なるものであるか。それは自己自身の内に自己を映す、自己自身の内に自己を表現するということでなければならない。」（『西田幾多郎哲学論集Ⅲ 自覚について』岩波文庫、一七九〜一八〇ページ）と書いておられる。

「我とは……物ではなく場所でなければならぬ」といい、また、我を、基体的でも過程的でも作用的でもなく、「場所的有」という。それは「自己自身の内に自己を映す、自己自身の内に自己を表現する」からであるという。「自己自身」は我々の自己であり、個物的多ととり、「自己」は宇宙全体、全体的一ととれば、我々の自己が宇宙全体を映し、表現しているということになろう。この場所的自己観は、分裂の方向に向かうアンビバレンツ（矛盾）と、統一の方向である「自己同一」の相即、そして「知られるものが知るものである」という「自覚」へと我々を導いてくれるのである。

結　語

愛と憎しみが同時存在するというアンビバレンツの苦しみを通じて、矛盾的自己同一を知り、矛盾が生起する場所を直観することから場所的論理に導かれるという過程をたどってみました。個人的体験はさまざまであるが、私にとってアンビバレンツの体験は矛盾的相即との出会いに不可欠であったと思います。

「矛盾的相即」の立場から、アンビバレンツについての精神医学的考察を深めることは人類の救済という意味でたいへん重要な課題と思われます。この課題の究明は同じ「即」の道を歩む安松聖高博士に期待したい。

西田は「啓示は神より人間への賜《たまもの》である」と言っています（『西田幾多郎哲学論集II　場所的論理と宗教的世界観』）。私はそれに倣《なら》って、アンビバレンツは神からの贈り物と言いたい。

勇気をだしてパラダイム・シフト

［九州大学医学部新入生オリエンテーションにて、二〇〇六年］

新入生のオリエンテーションで二年連続話をするよう頼まれた。私が若者に伝える大事なことは矛盾的相即しかない。受験勉強で疲れた若者にわかりやすく相即を伝えるにはどう話したらいいのか。イスラームの神秘哲学（スーフィズム）の一つである「存在一性論」を話の糸口としてみたい。これは「存在一性論」と矛盾的相即をパラダイム・シフトが結ぶ試論である。

現代知の六つの大罪

知ることを「分かる」とか「解る」とも言うように、知ることには対象を分ける作業が伴っている。まず、知る自分（主観）と知られる対象（客観）の分離は、知るという行為の必要条件であるように思われる。さらに対象を細かく分けていき、生と死、心と身体、有と無など、分解して区別してゆく。すべてをもともと統合されている全体的一から二つに分け、それを重ねるのが、考える知の特徴の一つである。そして、そのとおりに物が分かれて存在すると考える立場を二元論という。知性は主観（自分）を客観（世界）から分離したあとに、自分を世界の外において、外から世界を観察し記述する。対象となった世界に自分は含まれていない。このような立場で物を考えることを対象論理という。さらに、対象を他から独立して存在できる実体として見る習慣がついており、これを実体論（または実体観）という。このような知の働きは宿命的なもので、それに加えて、二つに分けることを重ねて、要素を抽出し世界が要素からできていると考える。これが要素還元主義である。さらに、分ける作業のあと、都合のいい方だけをとり、他の一方を不合理といって切り捨てる。そこには実利主義を含む合理主義の浸透がある。

——現代社会を主導するこのような思想は西洋で生まれたものであり、近代科学を発達させたが、近・現代の科学的思考は、この一面観的な知の特徴をますます強化させており、東洋の文化圏にある日本人も同じ思考潮流に巻き込まれている。

現代に生きる我々の知性には、次のような負の特徴があるとまとめることができるであろう。

① ジレンマに陥る二元論
② 他から独立して存在できる実体というものを思考のもとに置く実体論（主語的論理）
③ 自己を世界の外において外から世界を記述する対象論理

④　分析を手法とする要素還元主義
⑤　矛盾を排斥する合理主義
⑥　生存価値より生産価値を優先する実利主義
これらの特徴は真理を把握できないのに把握できるとの錯覚に陥らせるという意味で、現代知の大罪ということができる。

あやまちの始まり

ふつう、我々は「花が咲いている」と見る。花が主語であり咲いているは述語である。私たちは花という名前をつけ、咲くという言葉（＝概念）で表現する。言葉を手がかりにして我々は物を見、世界観を形成する。

私たちは生まれてきた子供に名前をつける。犬や猫にも何の疑問ももたずに名前をつける。名前をつけることを楽しみにさえする。人間は何故名前のないものに名前をつけたがるのか。名前をつけるということはどんな意味をもつのであろうか。それは名前をつけることによって私たちの概念思考が初めて可能になるからである。私たちが住む世界は言葉がもつ意味によって埋めつくされている。山と川などおのずからちがうもの、他と区別されるものがあり、私たちはそれに名前をつける。ラベル（臨済はそれを「空名」という）をつけるわけである。山、川、海、森のように。この世界中のものがびっしりと隙間なくそういう名前をつけられている。境界線をひいて区画化し、区画化したものを独立した「存在者」として認識している。井筒俊彦はこのことを「分節している」と表現する。

名前をつけて主語として使うことにより、主語を実体化するという錯誤がおこる。子供は名前をもたずに生まれてくる。すべて生じるものには最初から名前などはない。名前は人為的につけられ、人間の概念の世界の中だけで意味をもつものである。名前をつけることによって、この娑婆に存在を引き込むわけであるが、それでいいのだろうか。

名前をつけるとそれを定義しようということになる。定義は必ず他とのちがいを位置づける必要があるので、他をもちださなくては定義ができない。そのものだけでは定義は不可能である。例えば、抗体は抗原というものを説明しなければ定義できないし、逆もそうである。一方、花と葉のちがいは定義されてもその概念境界はいつも曖昧であるということがおこる。そして、花と葉、枝、幹という風に定義され概念的に分けられても、具体的に生きているもの（生き物）は要素に分解できないということを忘れてはならない。

世の中は細かいちがいを見出せる人がいわゆる頭がいい人といわれ、学校教育ではいい成績を取れるようになっている。

アポリア（難問）からの回復

ここで立ち止まって、ちょっとした言語上の操作をしてみよう。

（1）「花が咲いている」を「花が存在する」と言い換える。

（2）次に「花が存在する」の花を述語にして、存在を主語にしてみる。「存在が花している」となる。「存在がトンボしている」「存在が猫している」でもいい。

（3）この時「存在」は個物として存在するものではなく、一般者となる。「存在が花している」と言う時、世界の見え方がこれまでとちがって、花が存在しているのではなく、花は存在（一般者）の表現となる。

（4）「存在が花している」とパラダイムを変える時、どのような世界が広がるであろうか考える。

① 世界が区別されたもので構成されているのではなく、一続きに見える。一続きの世界を禅では「無縫塔」と呼ぶ。世界は一つの縫い目のない世界であるというのである。

② これまで私（自分）があって私（自分）がものを見ているという感覚があった（対象論理的立場）。それが変容して、自分が世界の内側に入って「物になっている」という感覚が生

まれる。

③　自己と世界と一つ、主観と客観の区別がない主客合一の感覚が生じる。自己が空ぜられ無我の感覚が生じる（『般若心経』の「色即是空、空即是色」）。

④　それまで区別されてきたすべての「生きもの」や「こと」が、大きないのちの働きによって「生かされてある」という感覚が生まれる。

⑤　全体的一を観じると同時に、ものには個性があることを如実に感じる。この個性は「個物的多」と表現される。この個性を「分」ともいう（これが「一即多、多即一」の世界である）。

存在一性論

このパラダイム（存在が花している）でものを把握する時に想起されるのは「存在一性論」である。「存在一性論」を唱えたのはイブン・アラビー（一一六五〜一二四〇）というイスラームの神秘家である。「存在一性論」については、井筒俊彦著『イスラーム哲学の原像』（岩波新書）に詳しい。井筒によると、「存在一性論」は「少なくともイスラーム的思惟をその究極的深みにおいて提示する一つの根源形態として、イスラーム哲学の代表とするに値する」哲学であり、

「存在一性論」とは「観想によって開けてくる意識の形而上学的次元において、存在を窮極的一者として捉えた上で、経験的世界のあらゆる存在者を一者の自己限定として確立する立場」である。この窮極的一者を「存在」と呼ぶのが「存在一性論」の立場であり、「始めから終りまで終始一貫して『存在』と呼ばれる宇宙的エネルギーの自己顕現のシステム、それが『存在一性論』という名称で世に知られるイブン・アラビーの神秘主義的哲学であります」とある（一三一〜一三二ページ）。

この一者を、老子は「道《タオ》」ともいい、名付けようがないので「無名」とも呼んだ。仏教では真如、如来、仏と呼び、禅では「空《くう》」という。キリスト教では神である。井筒はしばしばXと表現する。「すなわち無限定のXがしだいにさまざまに自己を限定していくありさまを、Xの立場から新しく眺める、そういう過程を経ることによって、存在世界の真のあり方が把握できると考える」（一〇七ページ）。「三昧に入りますと、いままで硬く固まっていたこのものの世界が流動的になってくる。もののいわゆる本質がまぼろしのようにはかないものとなり、それらの本質の形成するものの輪郭がぼけてきます。つまり花が花でありながら、花というものではなくなる。鳥が鳥というものではなくなる。こうしてすべてが透明になり、いわば互いにしみ透り、混じり合って渾然たる一体になってしまう」（一一一ページ）。

イブン・アラビーの「哲学の基礎をなす『存在』というのは存在的活力、宇宙に偏在し十方に貫流する形而上的生命的エネルギーでありまして、何か実体的なものではありません」（一一四ページ）。「その無がそれに内在する創造的形成力に押されて自己をしだいに限定していきます」。実在の絶対無分節が自己分節して、現象界が成立する。もとに戻って、「存在が花している」という時、存在は目に見えない全体的一である。花はこの世に顕れている個物的多である。花は個物的多でありながら同時に全体的一である。

ここで注意しなければならないのは「存在が花する」のレベルに花の概念がつきまとってはいけないということである。中山延二先生も、山これ山、これを否定して、山これ山にあらず、さらに否定して（否定の否定であり、肯定）、山これ山、に還らなければならないという。これと同じように、「存在が花している」、これを否定して「存在が花するに非ず」、または「存在が顕現する」にならないといけない。存在はただ顕在するのみ。そして「存在が花する」と有の世界、肯定の世界へ還る。さらに「花が存在する」「花が咲いている」に還る。

主語と述語を入れ替えることで、世界観が変わることをみてきた。「花が存在している」は「存在が花している」となった。次に「咲いている」を「存在する」に変えずにこのパラダイムで見るとどうなるであろうか。「咲いている花」となる。

存在が我れする

禅は己事究明《こじきゅうめい》である。イスラム神秘主義スーフィズムもキリスト教神秘家も己事究明は目標である。「花」のかわりに「我れ」を置いてみよう。「我れが存在する」は「存在が我れする」となる。私は個人でありながら、大きないのちに生かされている存在に気づくはずである。きっと、お米や太陽や雲や大地に感謝の念が湧いてくるはずである。私は私でありながら全体。全体と私は違うけれども分けられない、これが一即多・多即一である。「存在が我れする」という時、「私が花を見る」「私が音楽を聴く」という、主語となる私は消滅する。

自我の消滅――無我は仏教徒、キリスト教徒、スーファー（スーフィズムの実践者）の究極の目標でもある。「自我意識の消滅、これこそコンテンプラチオ（三昧と同じ意味：引用者注）実現の第一条件であります。自我の意識、経験的実存の中心点としての自分という主体の意識、それがきれいさっぱり拭い去られなければコンテンプラチオという状態は絶対に実現しません」（三〇ページ）。

　われらのあいだから汝とわれは消え去って

われはわれでなく、汝、汝ではなく、さりとて
汝、すなわちわれでもない
われはわれでありながらしかも汝
汝は汝でありながらしかもわれ

（『イスラーム哲学の現像』九九ページより、ルーミー著「シャムス・タブリーズ詩集」）

私たちはいつから、我れが存在すると思いはじめたのであろうか。親にとっては子供である我れは誕生したが、誕生の時に我れはどこにいたのだろうか。私たちはどこからきてどこに行くのだろう。私たちのはじまりはいつで、終わりはいつなのだろう。

「存在が我れしている」が自覚できる時、次の一休宗純の歌が味わえるだろう。

はじめなく終わりもなきにわが心
生まれ死すると思うべからず
（一休骸骨）

いま死んだ　どこにも行かぬ　ここにおる
たずねはするな　ものは言わぬぞ
（一休）

「はじめなく終わりもなき」ゆえに不生不滅という。だから、死んでもどこにもいかない。一者を感じることができる時である。

生死は仏の御いのちなり　道元「生死の巻」
念仏の申さるるも如来の御はからいなり　親鸞『歎異抄』

おわりに

主語と述語を入れ替えるだけで、世界観が変わる。二元論、対象論理、実体観、要素還元主義の呪縛から脱出できる。その時、一多相即が身近なものとして感じられないだろうか。一多相即は「華厳十玄」の二番目に出てくるほど重要であり、相即の基本である。

存在の深層は心の深層の程度しかわからないものである。存在の深層が形而上学的にわかっていくというのと、世界が細かい要素に分かれていくのを勉強して理解するというのとは、次元が異なることなのである。

「処有名之内而宅絶言之郷」（有名の内に処してしかも絶言の郷にすまう）

◆細菌学者が垣間見た哲学的世界〈1〉

One health, one world

［「ナガセランダウア　NLだより」No.４６９、二〇一七年一月］

One health approach, One health concept などの言葉が、学会場の壁や廊下に踊っていた。確かにOne world, one healthは感染症対策を実行するにあたりすばらしいコンセプトであると思う。それはhuman－animal－ecosystemにおいてhealthは一体であり、それぞれがhealthでなければ、全体がhealthになれないということである。またOne healthは他の生物との連帯を感じさせる、すがすがしい言葉でもある。それはhealthとwholeとholyが同じ語源をもつからであるだろうし、healthはoneと相性がいいからなのであろう。

これまで科学は現象や物事を分ける作業を続けてきたといえる。愛が結ぶものならば理性は分けるものであり、科学はその理性の特性が発揮される人間の営みであり、優秀な科学者ほど分ける（分析して）能力に優れているということが言える。新しい物質の発見ということもそういう作業である。

感染症対策の現場ではいちはやく、分けることから繋ぐ作業をしなければならないと気がついたのである。なぜなら病原体は地域を越えて、動物種を越えて、時間を越えて生きているからである。このように現代の感染症をめぐる諸問題は分けることから統合する方向に向かっているといえよう。人間には国境があるが、あくまでも人為的なものである。感染症を媒介する動物や昆虫、病原体には国境はない。鳥インフルエンザを運ぶ渡り鳥を見よ。ヒトや動物や自然環境の健康は繋がっている。病気は時を越えて再び起こる（re-emerging disease）。

国境という人為的な枠に障害されることなく、地域の特性を生かした対策をしようと考えたグループにMecong Basic Disease controlがある。メコン川は中国雲南省に発し、ラオス、ベトナム、カンボジア、ミャンマー、タイの六カ国を流れている。川を感染源として起こる感染症はこの六カ国で起こる。二十八日の創設十二年記念大会ではベトナムとカンボジアの国境を越えたというよりメコンを越えた共同の鳥インフルエンザ対策が功を奏した事例や、ベトナムとの共同のコレラ対策が紹介されていた。

これは「いのちの一体性」という概念が具体的に生かされた例だと言ってもよいのである。この概念を政治、政策、教育でも（感染症対策はもちろん）実践しようとする運動となっている。しかしone worldといっても現実の世界は多くの国家、各々の言語を持つ民族、種族で構成され多様な風土の中で人々が生きていること、政治的な主義・主張も多様で未だに戦争がなくならないのも現実である。またone healthといっても多様な動物、それを支える自然の〝健康〟

に支えられているということである。

One health の運動には政治が生物学に従うという大転換が起こっているという意味がある。感染症は制度を含めて多様な側面があるが、基本的に生物学である。生物学は、生物とはこういうものだということを教え、考える学問である。感染症の研究をするのも生物学的真理を求めるからである。発見された真理はそれを自慢するものではなく、それに従うものでなければならない（メリトクラシー〈マイケル・ヤング〉）。これまで感染症学は人間が従わなくてはならない、多くの真理を発見してきた。One health concept は人間中心主義（の政治）から自然本意主義に還る運動と言うこともできる。

One healthの概念は確かにすばらしいスローガンである。しかし忘れてはならないことはOne healthも生物の多様性に支えられていることである。

One health を早く教えること（early exposure）も必要であるが、あまりこちらを強調しすぎて多様性が基礎にあることを教えることを怠ったらこの教育運動は破綻するであろう。具体的な物事は必ず多くの個物のコンプレックスであり、それが一つに統合されて全体を形成する。現実は全て両刃《もろは》の剣でありアンビバレンツ（両義性）である。私たちは全体と部分という矛盾する両方を見なければならない。

二つの中心があり、これらを両方見る複眼視ができないといけないのである。One health だけでは陰陽の一方だけしか言っていないのである。東洋は対の思想を原型とする、仏教は即の論理、西田哲学は矛盾的自己同一といい、中山延二は矛盾的相即と表した。One health ならば、始原があると仮定しない考え方である。それは何か？

その繋がり方、統合の仕方はやはり縁起的でなければいけない。

One health が健康増進運動であったらすべての生き物が病気から解放されるまで続けられる運動ということを意味するだろう。しかし現実的には鳥インフルエンザや狂犬病、O157などのようにヒトが病気にならないために動物の健康を大事にするという人間中心主義が顔をのぞかせる。

もう一つは、メコン流域は地域として一つだということである。地理学と生物学を基礎に考えているのがメコンである。Cross-sectorial solution は人為的な sector を越えてということであろう。空は繋がり水も繋がる。鳥も魚も自由。陸の野生動物にも自分たちが作った境界はテリトリー以外はないのだ。一方、病原体側は多様である。多様性を越えてとはいえない。生物学的にはどうなのか。地球を基礎に考えてどうなのか考えなければならない。病原体の多様性に関する議論がなかったのは残念であった。これまで多様性（分けること）ばかりをやってきたので、一つであること（統合すること）を主張することの喜びは弾けんばかりである、それは認められよう。

忘れてはならないのは、One health とは、目に見えない、現実には存在しないものである。それは「真の平等」がこの世に存在しないのと同じである。この世の中はすべて差別の相なのであり、「分に存在の義あり」といわれるゆえんだからである。

コトバは閉鎖的、固定的である。花が鳥になることはできない、鳥が花という名を帯びることはできない。

コトバの枠をはずすと、無分節の一つの世界が現れる。境目もない、名もなかったら、一つの世界。あるがままに見るということは、名前をつけずに見る、名前を呼ばずに見るということ。

縁起のゆえに「一空」である。

コトバ（名前）が一つであることを妨げる、なぜなら「名」は「意味」を喚起する。「意味」は事物事象の「本質」として把握される。そこに「多様性」が生じる（分裂）。本質は、仏教では「自性」という。

花は花の自性によって花である。花は花であり（同一律）、鳥ではない。このように「名」によって「固定」されて「自由がない」。
無「自性」こそが存在の真相である。

◆細菌学者が垣間見た哲学的世界〈2〉

循環ということ

［「ナガセランダウア　NLだより」No.４７０、二〇一七年二月］

大学で細菌学を教えたり教科書を書いたりしていると、細菌が地球の元素レベルの循環にいかに貢献しているかを認識する。動物の体を構成する重要な元素には炭素、窒素、リン、イオウ、鉄などがある。これらは微生物や植物によって無機物から有機化され、動物の栄養源として摂取され、エネルギー源や細胞成分として利用される。動植物が死ぬと、微生物によって有機物は低分子化され無機化されて再び微生物や植物に利用される。

以前、看護師のための教科書の編集者から「柔らかなはしがき」を書くよう頼まれて、次のように書いた。「微生物が地球上からいなくなったらどうなるかを想像できますか。この世界はたちまち動物の死骸や排泄物、枯れた植物などで埋め尽くされ、青々とした台地も、幽玄な山々や渓谷も、清らかな川も海もなくなってしまうことでしょう。これは、地球規模の元素循環を微生物が担ってくれているからであり……」。我々が大切にしている景観も、微生物による「生物浄化と元素循環」のおかげで美しく保たれている。

住居や生活インフラを作る材料が微生物で分解できたり土に帰るものである時代はよかった。家がこわれると、木は再利用され、壁や瓦は土に帰った。紙は燃やされた。しかし、困ったことに材料が微生物で分解できなくなった。建物は、木の代わりにコンクリート、アルミサッシ、ガラスでつくられ、道は砂利の代わりにアスファルト、紙袋は石油からつくられるビニールやナイロンの袋へ、電化製品は金属とプラスチックへと代わった。微生物による元素循環は障害された。

このように循環がうまくいかなくなった例は身近にたくさんある。大気中のCO_2と水（H_2O）から、炭水化物を合成するのは植物と独立栄養細菌であるが、CO_2の産生量があまりに多量となってバランスが失われ、地球温暖化につながった。

人間の生活では、サブプライムローン問題でお金の循環がうまくいかなくなって世界的不況がおこった。マネーの循環がうまくいかないと、倒産が増える、景気が悪くなる。若者の就職がうまくいかないのは、人材や労働力の循環がうまくいかないからだ。

人間の体も基本的に全て循環である。血液循環がうまくいかないと、心筋梗塞、血栓症をおこす。呼吸という往復運動も（時計の振り子のように）広い意味での循環である。栄養やエネルギーの代謝にはＴＣＡサイクルがある。循環には収縮（緊張）と弛緩（リラックス）、上昇と下降が含まれている。身体の場合、循環が滞るのはそのまま病気なのである。

森の有機物が川となって海へ流れ込みプランクトンが増えて魚が集まる、お陰で漁獲量が増えるというのは好循環の例である。「魚を増やそうと思ったら木を植えよう」はパラドックスのようだが理にかなっていることを知った。生物の世界の食物連鎖も循環であり、細菌はアメーバに食べられ、アメーバは線虫に食べられ……。循環が止まるとどうなるか？　生態系の変化、種の絶滅とつながる。

自然界の元素循環と日常生活のリサイクルは、レベルは違うが原理的には循環である。循環は再利用も含む。リサイクルがうまくいかないと我々の日常生活は壊れるだろう。再生可能エネルギーというのは理解しがたい用語である。そもそもエネルギーは使ったら再利用や再生ができないものではないか？　太陽エネルギーや風力エネルギーのことを言っているようだが、前者は太陽からのもらい物であるし、後者は風が吹けば……というわけで、使用済みのものを再利用できるわけではない。それよりも太陽光発電パネルや風車を作った材料は再利用、リサイクルできるのであろうか、それとも産業廃棄物になるのか？　目を覆いたくなる光景が浮かんでくる。循環によって産業廃棄物を処理することを忘れ、大自然に処理を頼ったのが水俣病であった。石牟礼道子さんの叫びが聞こえる。「祈るべき天と思えど天の病む」。

物事が行き詰まり、出口が見えないというとき、その解決として、なぜ循環がうまくいかないか、循環がうまくいくようにするにはどうしたらよいのか、と考える。商売がうまくいかなくなるのは、売り手（供給側）は高く売りたい、買い手（需要側）は安く買いたいと、相手への気遣いなく自分の損得しか考えないから、売り・買い、生産・消費の循環がうまくいかなくなる。若者の就職が行き詰まるのは希望という欲がぶつかるからではないか。

結論の一つは出ている。つまり人間の欲が循環を阻害する。そんな非学問的なことを言っても、と笑われそうであるが、何ごともうまくいかないときの根源悪は人間の欲である。資源は限られているのに人間の欲望は無限である。我欲、組織欲、国の欲……欲の張り合いで人類は多くの失敗を繰り返してきた。ノーベル経済学賞が毎年出ても世界経済はうまく廻らないのはなぜか。人間の欲を抑制するにはどうしたらいいのかを考えた方がいい。小さいときからの少欲知足の教育が必要だろう。

◆細菌学者が垣間見た哲学的世界〈3〉

楕円の論理

［「ナガセランダウア　NLだより」№.471、二〇一七年三月］

太陽系の惑星が楕円軌道を動いていることを明らかにしたのはデンマークの天文学者ティコ・ブラーエ（一五四六～一六〇一）とヨハネス・ケプラー（一五七一～一六三〇）である。ティコ・ブラーエによる緻密な観測データをケプラーが数学的に解析し惑星が楕円軌道するという事実を見つけたとされている。この楕円軌道には二つの中心がある。一つの中心には太陽が位置しているが、もう一つの中心には太陽にあたるものが存在していない。もともとあったものが消えた可能性があるが、惑星は慣性の法則で楕円軌道を動き続けている。わが地球の軌道は円に近いが正確には楕円軌道である。

ここで楕円を取りあげるのは、楕円が存在・認識・信仰等さまざまな分野において核心を突く一つの哲学的なモデルとして考究され、「楕円の論理」と呼んでいいものがあるからである。内村鑑三は昭和四（一九二九）年十月の『聖書之研究』№.351（『内村鑑三全集32』岩波書店、一九八三年所収）に「楕円形の話」を著した。その書き出しは「真理は円形に非ず、楕円形である。一個の中心の周囲に描かるべき者に非ずして二個の中心の周囲に画かるべき者である」。そして「人は何事に由らず円満と称して円形を要求するが、天然は人の要求に応ぜずして楕円形を採るは不思議である」「楕円形的の真理のうちに真理の深味と興味とがある」「宗教も円形に非ずして楕円形である」「宗教は神と人とである。神のみでない、亦《また》人である。人のみでない、亦神である」と神と人とを二つの中心に持つ楕円として神と人との関係を説いている。

内村鑑三はさらに、神と人、愛と義、慈愛と真実、これらの二律背反（矛盾）は理論の理解ではなく、人生の実験において解決以上の解決を得るのだと言っている。「何事に限らず円満を要求するが間違の始である。真理は円形に非ず楕円形である」と再度述べて説教を終わっている。

楕円に注目した文筆家に花田清輝《きよてる》（一九〇九〜七四）がいる。代表作『復興期の精神』（一九四六年）に「楕円幻想——ヴィヨン」という短編がある。天界に楕円を発見したのはティコ・ブラーエであるに対し、下界で楕円を発見したのはフランソア・ヴィヨンであるというのである。ヴィヨンの『遺言詩集』の楕円を花田は「魂の形あるいは文学の形」と見た。「敬虔《けいけん》であると同時に、猥雑《わいざつ》でもあることのできるのを示したのは、まさにヴィヨンをもって嚆矢《こうし》とする」「敬虔と猥雑とが——この最も結びつきがたい二つのものが、同等の権利をもち、同時存在の状態において、一つの額縁のなかにおさめられ、美しい効果をだし得ようなどとは、いまだかって何びとも、想像だにしたことがなかったのだ」。矛盾したものの統合を楕円が二つの焦点を持っていることと重ね合わせている。

心理学者・河合隼雄は、『ちくま日本文学全集　花田清輝』に「原型としての楕円」という解説を載せている。「花田清輝の思考の構造や、彼の文体の秘密をよくわからせているもの」として河合は「楕円幻想」を取りあげる。「私は花田の仕事のすべてをとく原型として、『楕円』をあげたいと思うほどである。彼は生涯を通じて、『楕円思考』あるいは『二焦点型人生』を貫いたと言えるのである」。花田は『仮面の表情』で、「おのれ以外のものでありながら、しかもおのれ自身でありつづけるということ」とか、「わたしたちは、対立物を対立のまま、統一しなければならないのだ」など、矛盾の統一をはっきり意識している、と河合は指摘する。この指摘はさすが日本神話の中空思想などの説を提出する河合隼雄ならではの卓見である。

野上彌生子の小説『秀吉と利休』を映画化した赤瀬川原平は『千利休　無言の前衛』（岩波新書）の中で、秀吉に切腹を命じられた利休が「楕円の茶室」を構想する場面を描いている。そして「利休がはじめ真円を描き、その焦点の釜の位置をずらすことで楕円への端緒が開ける。そして釜の対象位置に二つ目の見えない焦点があらわれ、それこそが物質を越えてあるはずの利休の精神である」と赤瀬川自身の説明を加えている。物質がある焦点と目に見えない焦点、「自然は目にみえる精神であり、精神は目に見えない自然であるはずだ」と言ったシェリングを想起する。

人類は、地球の公転運動により一年という時間単位と、地球の自転により一日という時間を生みだした。永遠なる時間を区切って、一年三六五日、一日二十四時間、と数えることができるようになった。惑星が循環ではなく、直線的な行きっぱなしだと時間とはならない(ただし、無限大の楕円軌道を動く運動は直線運動に見える)。

天体の動きも、河合の心理学も、ヴィヨンの文学も、赤瀬川が描く利休の芸術も、内村鑑三の宗教も、楕円でその本質を表現できるということだ。と言うことは世界成立の真理が楕円の持つ論理性で表現できるということなのだろう。

最後に楕円運動の性質にある深い哲学的な意味をまとめてみたい。まず二つの焦点(中心)があること、求心力と遠心力がつりあっていること、始めと終わりが決められないこと。だから、いつも始めであり、終わりである。それによって時間が生まれ、生命が生まれた。そして花田が言ったように、対立を対立のまま統一する、おのれ以外のものでありながら、しかもおのれ自身でありつづける、という、絶対弁証法(過程的弁証法ではない)がここにある。

◆細菌学者が垣間見た哲学的世界〈4〉

二つで一つ、一つで二つ

［「ナガセランダウア NLだより」No.472、二〇一七年四月］

三浦梅園（一七二三〜八九）は国東半島の杵築藩富永村（現在の国東市安岐町富清）に医者の子として生まれ、六十七歳で逝去するまでその一生を国東半島で生きた。梅園は医業のかたわら多くの書籍を読み、真理を求め、思索し、宇宙論や哲学分野に膨大な著作を残した。

梅園が影響を受けた学者に宋の儒者・邵康節《しょうこうせつ》（一〇一一〜七七）がいる。邵康節は先入観を捨てて物になって観ることを「反観」と称した。梅園はここから一歩進んで、主観を捨てて物になってみると、物事は必ず相反するものが一に合して成立しているということに気づく。

梅園は陰陽のそれぞれの扁をとって侌昜という熟語をつくった。いわく「天地の道は侌昜にして、侌昜の体は対して相反す。反するに因て、一に合す。天地のなる処なり。反して一なるものあるによりて、我、これを反して観、合せて観て、本然を求むるにて候」（『多賀墨卿君《たがぼっけいくん》にこたふる書』）。相反するものが、否定を媒介として（反するに因て）一になる、これが真理のすがた（本然）である、というのである。この真理の直観を梅園は「反観合一」と呼んだ。梅園はそれまで物の見方であった「反観」を、存在構造を示す「反観合一」にまで高めたのである。「必ず対《つい》あるものは自然なり」（三浦梅園）。

三浦梅園の思想にも、花田清輝の「楕円幻想」にも弁証法的論理性が感じられる。しかし「正」「反」「合」の過程的弁証法とは異なり、楕円の思想の弁証法は「正」は「正」のまま、「反」は「反」のまま（二焦点）、「正」と「反」で一つ（楕円）である。人馬一体というが、人はあくまでも人、馬はあくまでも馬、そして人馬は進むのである。

このように相反するものが一になり世界が成立していることを西田幾多郎は「矛盾的自己同一」と呼んだ。矛盾したもの、逆なもの、対立したもの、異なるものがお互いに自己と同一として存在しているということである。在野の仏教哲学者・中山延二（一八九四〜一九八八）はこの論理を「矛盾的相即」と呼んだ。「即」は『般若心経』でなじみ深い「色即是空　空即是色」の即である。この即に真理を説明できる論理性があることを西田と中山延二は明らかにしたのである。

自然界も生命の世界も「矛盾的相即」的に成立している。光は粒子としての性質と波動としての性質を両方もっている（これが「相補性」と言われていることはよく知られている）。粒子は非連続性、波動は連続性であり相矛盾するが、相矛盾するものが光として一つになっている。

時間と空間は概念的に異なるが、時間がなければ空間は存在できず、空間がなければ時間はありえない（中山延二は時間と空間の関係を「空間の時間化」即「時間の空間化」、「時間の空間化」即「空間の時間化」と表現した）。力学では作用と反作用が必ずペアになって起こる。磁石には必ずS極とN極の矛盾する二極があり、S極だけの磁石やN極だけの磁石は存在しない。化学では、酸化と還元。必ず電子を放出する側と受け取る側というふうに逆の方向が同時に起こる。生物では、呼吸が吐くと吸うの逆の方向性の動きがペアとなって成り立っている。心臓の収縮と拡張、代謝の同化と異化、これも逆のものの対である。私たち生物が生きていると言えるのは死ぬからであり、死なないものは生きているとも言わない。おたまじゃくしのしっぽが消えてカエルになるのも、アポトーシスという細胞の死によって、個体の生が保証されているということを意味する。神経の刺激伝達における分極と脱分極、免疫の自己と異物、すべて矛盾的自己同一、つまり矛盾的相即である。

生死一如という言葉は、生と死は異なっているけど分けられない、生と死は一つだけども同じでないという関係であることをいう。「魚もし水を出ずればたちまち死す」と道元『正法眼蔵現成公案』にある。魚にとって水は命だが、魚の命と水は違う。水は飲めるけど、魚の命は飲めない。命と環境も矛盾的相即の関係（二つで一つ、一つで二つ）になっている。つまり、命と環境は異なっているが分けられない（異にして分かつべからず、二つが一つ）、さらに命と環境は一つだけれど同じものではない（一にして同ずべからず、一つが二つ）のである。

心理学ではアンビバレンツの問題がある（アンビは二つ、バレンツは価値で、両価性または両義性と訳される）。例えば同一の対象に対して、同時に愛と憎しみを感じる場合がある。その時、当事者の心は分裂しそうに感じられる。普段私たちは愛を感じる時には憎しみが隠れているし、憎しみが出てくる時には愛が隠れていて、どちらか一方しか表面に出てこないが、愛する人に裏切られた時など、両方が同時に表に出てくる時がある。アンビバレンツも相反するものが二つで一つ、一つで二つの例だ。そのほか、若者が親から独立したいという気持ちと、まだ依存していたいという気持ちが同時に起こる場合もアンビバレンツだろう。どちらか矛盾する方の一方が表に出る時には、一方は隠れているのが普通であり、道元は、「一方を証する時は一方はくらし」『正法眼蔵　現成公案』と言っている。

教育も医療も商売も相対立するもの、逆なものが結びついて成立する世界である。教育は先生と生徒、医療は医療スタッフと患者さん、商売は売り手と買い手というふうに。いずれの一方も相手側に根拠をもって人間の活動が成立している。だから、何事もお互い様、お陰様なのである。

仏教の「色即是空」、西田幾多郎の「矛盾的自己同一」、中山延二の「矛盾的相即」も、お互いに矛盾したものが、矛盾したままで一つ（二つで一つ、一つで二つ）であり、矛盾したものがお互いに相手側に根拠をもって成立するという、世界成立の真理である。

◆細菌学者が垣間見た哲学的世界〈5〉

世界は広く、真理は深い

［「ナガセランダウア　NLだより」No.473、二〇一七年五月］

私はこれまで細菌学を専門としながら哲学的真理を追究してきたが、それは片手間でできることではなかった。垣間見えたことは、矛盾的相即の論理に出会い、それが世界成立の真理であると自分が納得できることだった。しかし、この論理は元産業医科大学哲学の本多正昭教授が言われる如く、「これで分かった」と言える簡単なものではなかった。

私は西洋の哲学者の本も読もうとしたが、矛盾を排斥する論法や自我を肥大させる方向の哲学は肌が合わず納得できなかった。やはり、読んでいて夢中になったり我が意を得たりと思うのは無我の方向である東洋哲学だった。はっきり分けられるものではないと思うが、西洋は有の方向へ、主語的論理、形相の論理であるに対し、東洋は無の方向へ、述語的論理、質料を重んじる方向であり、さらに言えば矛盾的相即の論理と言うことになる。

滝沢克己は「西田哲学には、即の一字をもって結ばれるところの、密接に相関係する一連の根本的概念がある。曰く、『一般即個物　個物即一般』、『一即多　多即一』」等と書き、さらに、絶対に相反するものの自己同一、絶対に相矛盾するものの統一などの説明例をあげている。「即」に世界成立の論理性があることに気付いたのが西田幾多郎であり「矛盾的自己同一」と言い表した。そして、「矛盾的相即」が、仏教の根幹「縁起の法」の論理であることを明らかにしたのが中山延二であった。

知りたかった真理に触れた喜びはそれとして、残る問題は心の安心《あんじん》と救済である。これは宗教の問題であり宗教では神と仏が問題となるが、神も仏も「形もなくましますゝ」（親鸞）ので、対象的知識ではつかむことができない。知解《ちげ》（知性でわかること）ではなく、信解《しんげ》（信じて初めてわかること）と体解《たいげ》（冷暖自知の体験の世界）が問題となる。しかし、宗教がこの世界と自己の問題である限り、手がかりは「矛盾的相即」に違いなく、このシリーズ〈3〉で紹介した内村鑑三の「楕円形の話」のとおりである。

真の宗教は真の哲理をもっている。そうでなければ人間を救済できない。他力に徹底した親鸞は対立したものの「異にして分かつべからず、一にして同ずべからず」（『教行信証』）という論理的名言を残し、中山延二はそれを矛盾的相即の説明に使った。道元は「自己を習うとは自己を忘るるなり」「万法すすみて自己を修証するは覚りなり」（『正法眼蔵』）。西田幾多郎は哲学から宗教への道を開いてくれた。「我なき者即ち自己を滅する者は最も偉大なる者である」「純粋経験を唯一の実在とみる」「自己が自己に於いて自己をみる（自覚）から場所の論理へ、矛盾的自己同一から遺稿となった『場所的論理と宗教的世界観』まで、それは西田の哲学的および宗教的求道の旅であった。真の宗教家から偉大な哲理が生まれるというのは、論理が人間の救いのために必要であるからであろう。

山縣三千雄氏（元早稲田大学英文学教授）の『人間——幻像と世界』（理想社）を読んでいて人間の素晴らしさ、醜さ、喜び、悲しみ、苦悩が全て書いてあると思いながら、この本の続きはどうなるのだろうと思っていた。次は神の話しかないだろうと思っていたら「神秘性が始まるところに人間論は終わらなければならないであろう」と最後にあった。その後、山縣三千雄は『神秘家と神秘思想』（創文社）を書く。

現在、パラダイムシフトの重要性が叫ばれている。多くは科学技術の進歩（例えば人口知能やIT）に追いついていくためのパラダイムを探しにいくのだろう。しかし、どこまでも、世界成立の真理から離れることはできない。これからはこころの哲学、いのちの哲学の時代である。

ディルタイ（一八三三～一九一一）は「生の哲学」を次のように定式化した。

（1）生は「根本事実」であり、「その背後に遡《さかのぼ》ることはできない」。換言すれば、体験が根源的所与であり、哲学はそこから出発しなければならない。

（2）思惟や理性は、生を基礎づけることはできず、むしろ生を基盤にして成立する。したがって、生を理性の法廷において裁くのではなく、「生を生それ自身から理解する」のでなければならない。
（3）体験は、それ自身についての直接知である。体験は内から知られている。この直接知にもとづいて、体験の本来の姿がとらえられねばならない、
（4）ただし「生は究め尽くしがたい」。生の儚《はかな》さや脆《もろ》さ、その暗さや深さ、不可解性や非合理性、有限性や歴史性、こうしたことがありのままに直視されねばならない。こうした基本的発想のもとで、〈生の哲学〉は〈生〉という〈事象そのもの〉へ迫っていこうとする。

（『岩波　哲学・思想事典』より）

中村桂子氏（生命誌研究者）は「理性よりも大きな概念としての〈生命〉が時代の理念になるときが来た」と言っている。知性の行きづまり症状が至るところに出てきている時代に、知性が届かない処のいのちとこころに新しい風が吹き、いのちとこころが豊かに、深くなることを期待する。根源的なパラダイムシフトは、対象論理から矛盾的相即の論理への転換である。

第四章　若き学究の徒へ伝えたいこと

生老病死の哲学のない医療・医学は、
根なし草の如き虚妄の繁栄を誇り得るのみである
——本多正昭

私の発見物語

三昧中の思いつき

［九州大学大学院医学研究院細菌学教室「青藍会報」第24号、二〇〇一年］

若い時に経験した発見の喜びが研究を継続させるエネルギーになっていて、それは時間を超越して今でも続いています。これまでの研究生活で発見の喜びというのはそう多くありませんし、たいした発見もしていないのですが、それでも強烈に記憶に残ることが三回ありました。一つは自己睾丸抗原に対する遅延型足蹠反応を発見した時、二つ目は、Vibrio vulnificusのコロニー変換がカプセル様構造の有無により決まり病原因子であることを見つけた時、三つ目はLegionella pneumophilaのマウスマクロファージ内増殖がマウスの一遺伝子により調節されていることを見出した時。

今回は一つ目の話をしたいと思います。そのアイデアはパチンコ中にひらめいたものでした。私は大学卒業後一年間の臨床研修のあと、当時、武谷健二教授、野本亀久雄助教授の細菌学教室の大学院生となりました。最初のテーマはリンパ球をin vitroで生かしてmixed lymphocyte cultureの実験をすることだったのですが、培養中にカビばかり生やすものだから〝真菌チャン〟と呼ばれるなど、成果は上がりませんでした。それを見かねた野本先生が、私にハムスターの液性免疫と細胞性免疫の相互調節のテーマをくださいました。それは三年生の時に論文となり"Cellular Immunology"に掲載されました。その時の喜びはひとしおだったのですが、自分のアイデアで仕事をしたいという欲求が湧いてきました。

野本先生からは頭脳も筋肉と同じように鍛えれば秀れたものになると言われ、私はいつも頭を働かせる訓練をしていました。パチンコをしていても頭には実験のことばかりでした。パチンコといえば久保千春先生（元九州大学学長）が教室におられ、故嶋本義範先生と一緒によくパチンコに行ったものでした。

その頃私は「免疫学的に自己とは何か」ということに興味がありましたので、自己抗原やそれを認識するリンパ球、マクロファージ、抗体や遅延型過敏症のことなどが頭の中をかけめぐっておりました。同時期に、ヒツジ赤血球に対するマウスの足蹠反応がMackanessらによって発表され、サイクロホスファミドの投与により増幅されるという報告がありました。そういったことをいつも考え続けていた私は、パチンコしながらも思考に集中していました。そして自己抗原に対する免疫応答もサイクロホスファミドで増強される足蹠反応として捉えられるのではないかとひらめきました。

ひらめいたら実行です。自己抗原としては何がいいか、足蹠反応でみるには抗原はタンパクよりも細胞がいい。それだったら睾丸細胞だ。マウスにサイクロホスファミドを打つ、睾丸細胞で免疫する、足蹠反応をみる。それではそのマウスをどうしたらいいか。純系マウスを使いたい、いや純系マウスでなければならない。その当時教室は免疫の研究が盛んで純系マウスは不足がちであった。どうしよう。その時またひらめいたのが黒岩中《あたる》先生のマウスを盗んでやろうということだった。こんな時には善悪を超越した狂気が働く。動物室に行くと、黒岩と書いたラット用の大きなケージにC57BL/6がたくさんいる。しめしめ、これを使って実験してやろう。みんなに黙ってひそやかに、どうか見つからないように。

惹起《じゃっき》注射の翌日、息をつめて結果を見に行った。足を見るとやったー、みごとに腫れているではないか。その腫れた足の記憶は今でも忘れない。神がそっと私だけに秘密を見せてくれた、そんな感じである。この感動が今でも忘れられないのである。発見のプロセスでマウスを盗むという悪事をしたけど、悪いことだと分かっていても何か強い力がやれ！やれ！と後押ししてくれたように思う。この発見は疑問をいっぱい心の中に溜め込んでおく（心理学では布置constellation）という準備段階の時期があり、多くの疑問同士が結びついて一つの発見につながったということなんだろうと思う。

湯川秀樹の「類推」に近いのだろう。ともかく足の腫れを見た瞬間に神が顕わになった、神が姿を見せてくれたという感動があった。そこには自分がおらず、自分が何かをしたという思いもなく、何ものかに動かされたという感じであった。

私はこの仕事を学位論文とした。その後この仕事は、感染症をひきがねにして起こる自己抗原認識と自己免疫という総論的な大きなテーマへと発展し、また、自己抗原認識における $\gamma\delta$ T細胞の解析へと後輩が引き継いでくれました。現象の発見はこのようにあとに仕事がつづくので、私は現象の発見にこだわっています。

教室の若い人たちに私が望むことは「発見の喜びを味わって欲しい」ということに尽きます。なぜならそれが研究生活のみならず人生のエネルギーになるからです。

［「青藍会報」第25号、二〇〇二年］

Vibrio vulnificus の病原因子

産業医大に赴任して二年目（昭和五十七／一九八二年）頃のことである。研究分野を免疫学から細菌学に移し、ペニシリン耐性淋菌や、培地に塩を加えると線維状になるパラチフスA菌などを扱っていた。中央検査部細菌検査室の田辺忠夫主任が教室にやってきて書架の本を見て「やっぱりそうか」と独り言を言っている。主任の話によるとその当時 Lactose を分解する Vib rioという意味で“L+Vibrio”と呼ばれていたVibrio vulnificusを患者の血中から分離したというのだ。内科に入院中の再生不良性貧血の患者さんが外泊中にイカの刺身を食べ、発熱したので病院に戻ったが、まもなく敗血症で死亡した。その患者さんの血液からL+Vibrioが分離されたのであった。今でこそ本菌の存在はよく知られるところとなり「人食いバクテリア」などと呼ばれるが、当時この感染症は日本ではまだめずらしく、『産業医科大学雑誌』(5：95–100, 一九八三年）に症例報告したのであるが、日本で報告された五例目くらいであったと思う。

私はなぜ本菌が人を死に至らしめるほどの毒力があるのか知りたくなり、マウスを使って病原性を調べることにした。確かにマウスに一万から十万個の菌を静脈注射すると死亡する。しかも注射部位は腫れあがり壊死を起こして尾がちぎれることもある。これは恐らくその時存在が知られていたメタロプロテアーゼによるものである。その他の病原因子をどう見つけるか、毎日毎日、マウスに菌を注射しては臓器内菌数の動きを調べていたが研究は行き詰まっていた。

ふつうV. vulnificusのコロニーは白く濁っている。しかし、ある日、培地の上に透明なコロニーが混じっていることに気がついた。これは変異株だ。どんな変異株か分からないが、とにかく病原性を調べてみると一〇〇〜一〇〇〇倍も低下している。当時産業医大微生物学教室の教務職員（現在助手）の小川みどりさんにルテニウム・レッド ruthenium red 染色してもらい電顕で調べてもらった。すると白いコロニーには菌体の表面にルテニウム・レッドで染まる薄い莢膜《きょうまく》様構造があるが、透明なコロニーを示す菌株にはそれがない。莢膜様構造をもつ菌株と、もたない菌株の間で、マウス致死毒性、血清感受性、血中からのクリアランス、皮膚侵襲性を比較した。いずれの実験でも莢膜様構造が病原性に関与していることを示すことができた。

この変異株を見つけた時のことを振り返ると、透明なコロニーが目に飛び込んできたという感覚であり、同時に新たな発見の予感もその時すでにあったような気がする。また、小川さんがとってくれた電顕の写真を見た時は、動物実験の結果と電子顕微鏡を使った形態学的研究の結果が結びついたぞ、とのよろこびが強かった。物と事が結びつくという感覚も発見の重要な要素である。普段から、分からないことを心の空間に布置 constellation しておくことが大切と思う。いつか、分からないこと同士が結びついて新しい発見がある。

この実験結果を論文にして"Infection and Immunity"に投稿した。レフェリーからの返事には The experiment performed appear to be straight-forward, the results were clear, and the interpretation is reasonable. と書いてあった。見知らぬレフェリーから高い評価の言葉をもらったのは正直、本当にうれしかった。この論文は"Infection and Immunity"(47:446-451, 1985)に掲載され、V. vulnificus の病原性に関する論文には必ずといっていいほど引用される。私はこの仕事をきっかけに感染の病態解析を自分のライフワークにしようと決めたのでした。

Lgn1 遺伝子の発見——メンデルの偉大さを実感

［「青藍会報」第26号、二〇〇三年］

昭和五十六（一九八一）年四月に産業医科大学・水口康雄教授の微生物学教室に講師としてお世話になることになりました。赴任後まもなく水口教授とのレジオネラの研究が始まりました。私は感染に対する感受性の動物種差について興味を持っておりましたので、レジオネラの研究を始めてもその意識があって、いろんな実験動物のレジオネラ感染に対する感受性と、そのマクロファージがレジオネラの細胞内増殖を許すか許さないかという表現型の間に相関があるかどうかを調べておりました（Can. J. Microbiol. 32:438, 1986）。そこで使ったマウスに関してはいずれの系統でもマクロファージの中で Legionella pneumophila Philadelphia-1 株は増殖しませんでした。

しかし一九九八年私がオランダのライデン大学に留学していた時、山本容正博士（当時、Tampa大学、現在、大阪大学）が A/J マウスのマクロファージの中では L. pneumophila が増殖するということを発見しました（Infect. Immun. 56:370, 1988）。留学から帰国してまもなく、国立予防研究所（現在、国立感染症研究所）の後藤義孝博士（現在、宮崎大学農学部獣医学科教授）が McGill大学の Skamene 教授を産業医科大学に案内して来られ、話をする機会がありました。そこでレジオネラのマクロファージ内増殖にマウス間の系統差があることを紹介しますと、早速この遺伝子を同定しようということになりました。A/JとC57BL/6のF1やF2、F1と親のもどし交配でできた子供からマクロファージを採取し、L. pneumophilaの細胞内増殖を許すか（感受性）、許さないか（抵抗性）のタイピングをしました。その結果、F1のマクロファージは菌の増殖を許さないのでC57BL/6の方が優性、もどし交配ではF1×A/Jで抵抗性：感受性の比が3：1に分かれ、F1×C57BL/6ではすべて抵抗性となりました。これはメンデルの法則にきちんと合いました。生物学にはメンデルの法則ぐらいしか法則と名の付くものがありませんが、実験結果がメンデルの法則にきちんと整合したのはとても驚きでした。私はこの遺伝子をLegionellaにちなんでLgn1と名付けました（Infect. Immun. 59:428, 1991）。

「天地《あめつち》の中に一つの法《のり》ありと　日にげに深く思い入りつつ」

これは湯川秀樹博士のうたです。法則の発見ということの偉大さをわずかですが感じることのできた私は、この湯川先生のうたにも感動をおぼえます。私の発見は取り扱った現象がメンデルの法則に合うという小さなものでしたが、最初にその法則を発見したメンデルの偉大さを感じることができました。

この実験では、ヒメネツ染色したマクロファージとレジオネラを顕微鏡で観察するのですが、マラカイトグリーンで青緑に染まったマクロファージの中に、フクシンで赤く染色されるレジオネラが多数増殖している像はたいへん美しいものです。私は、顕微鏡をのぞきながら、大自然を地球の内側から見ているような感じに打たれました。そして大自然がそっと私だけに教えてくれている秘密を見たように思いました。

マウスで見つかったこのLgn1遺伝子はその後十三番目の染色体にあることが分かり、その遺伝子座を決めるのに、数百匹のマウスのマクロファージのタイピングをしてマウス肝臓を冷凍してMcGill大学まで送りました。その間McGill大学での研究の主体はSkamene教授からGros教授にかわりました。マウスのLgn1の遺伝子座に相当するヒトの遺伝子座は五番目の染色体のＳＭＡ（spinal muscular atrophy）近くのNaip（Neuronal apoptosis inhibitory protein）5と同一であること、さらにはBaculovirusが宿主細胞のアポトーシスを阻害するためにつくるタンパクをコードする遺伝子を含むBirc1eとも同一であることが分かりました。このタンパクは植物の自然抵抗性を司るresistant proteinとの相同性があり、ＮＯＤ（Nucleotide-binding oligomerization domain）プロテインファミリーの一員であることが分かりましたが、機能はまだ分かっていません。自分が名付け親になった遺伝子が自然抵抗性を担う新しいタンパクをコードするものとして世界の注目を集めるのはうれしいことです。

私の共同研究物語

カラギーナン前投与による内毒素ショックのプライミング

［「青藍会報」第27号、二〇〇四年］

産業医科大学では微生物学教室は八階にありますが、麻酔科も昭和六十二（一九八七）年に八階に引っ越してきて、麻酔科との共同研究には絶好のチャンスとなりました。麻酔科の重松昭生教授（現在、病院長）から、麻酔科にとても研究意欲のある頑張り屋さんがいるから一緒に研究してくれないかと話がありました。その時紹介されたのが緒方政則先生（元産業医科大学麻酔科学助教授）でした。麻酔科と細菌学の共同研究となるとテーマはおのずから内毒素ショックです。このテーマは細菌学者としては何とか解決したいと思うテーマですし、臨床医も現場で一番手ごわい病態です。オランダ留学から帰った一九八九年に、緒方先生との共同研究が始まりました。

当時ＢＣＧでマクロファージ（ＭΦ）を活性化しておくと内毒素に対する感受性が高まるという報告がありました。それではＭΦをブロックするカラギーナン(Carrageenan)をマウスに前処理したら内毒素に対する感受性が低下するのではないかと予想し、このことから実験を始めました。すると予想に反して内毒素に対するマウスの感受性は数十倍にあがり、10㎎の内毒素（ＬＰＳ）でもマウスは二〜三日以内にショックで死亡したのです。大量のＴＮＦ－αの産生が10㎎のＬＰＳで起こっていました（Infect. Immun. 59:679-683, 1991）。これはＴＮＦ産生のプライミングと呼ばれる現象で、それまで、Ｄ－ガラクトサミン（D-Galactosamine）が同様に内毒素に対する感受性を高めることが知られており、そのモデルがよく使われていました。

緒方先生は意欲的に実験を進め、主なＴＮＦ産生細胞がＭΦでなく好中球であることをつきとめ、さらにカラギーナン投与でＴＮＦ－αのｍ－ＲＮＡの量が上昇していることを明らかにしました。なぜプライミング（Priming）が起こるのかは未だここまでしか分かっておらずたいへん面白いテーマになりますが、内因性のＩＦＮ－γはマウスの生死には関与しますが、ＴＮＦ－αの産生は亢進《こうしん》しなかったそうです。Ｄ－ガラクトサミンの場合ＩＦＮ－γの上昇はなく、恐らく、Ｄ－ガラクトサミンは肝障害を引き起こすことにより内毒素に対する感受性を上げるのだろうと考えられています。このカラギーナンモデルは内毒素ショックの研究者からは世界的にも注目されています。このモデルを使ってロイコトリエンの阻害剤やアンタゴニスト

(Infect. Immun. 60:2432-2437, 1992)、ＰＡＦアンタゴニスト(Infect. Immun. 61:699-704, 1993)がショックを抑えることを発表しました。カラギーナンの効果と近いものとしてはDextran sulfateも同様の効果を示し、類似物質の探究も興味あるところです。

この実験も、常識的なことを確かめるために裏の実験をやり、偶然、面白い現象に突き当りました。間違った常識もあること、それを疑うことも大事であることを認識した体験でした。

緒方先生は臨床医でもありますが、きちんとした基礎研究のセンスとファイトをもった立派な方で、こういう先生と一緒に研究できることはたいへんな喜びです。一緒に研究を始めた頃は、緒方先生は産業医大の医生ヶ丘職員住宅四〇〇棟に、私は五〇〇棟に住んでいました。夜遅くまで実験して夜中一緒に自宅に戻る途中に実験の結果や進め方について熱く語り合ったことを想い出します。一緒に始めた実験が若い研究者のライフワークになることは私たちにとってはこの上ない教師冥利です。

［「青藍会報」第28号、二〇〇五年］

自己好中球を貪食するマクロファージ

大学院を卒業し、九州大学の助手になって二年目のことである。医学生(当時三年)の安達洋祐君が何か実験をしたいと夏休みに教室にやってきた。安達君はサッカー部でとても利発で明るい好青年である。当時私は、現在は感染免疫・熱帯医学（寄生虫学から変更）の教授をしている姫野国祐先生のグループで、Jones-Mote 型の皮内反応部位に浸潤してくる好塩基球 Basophil の研究をしていた。Basophil が腹腔内にも浸透してくるならそれを集めて性質を調べようと思い安達君に手伝ってもらうことにした。Basophil は皮内に Phytohemagglutinin（ＰＨＡ）を注射しても出てくるので、ＰＨＡを腹腔内投与したら Basophil が集められるのではないかと考えた。そこで安達君にモルモットの腹腔内にＰＨＡを打ってもらい、腹腔浸出細胞をギムザ染色して観察してもらうことにした。染色標本を見ていた安達君は、Basophil は見えないが「何かようわからん細胞」がたくさん見えると報告に来た。顕微鏡をのぞくと、好中球を貪食したマクロファージがたくさん見えていた。こんな現象を私は初めて見たし、これは炎症の消長と深い関係があるのではないか、炎症部位の好中球はマクロファージに貪食されて炎症部位から消えてゆくのではないかと考えた。夏休みが終わって学業に専念することになった安達君にかわって、それを証明すべく、大学院生で眼科出身の讃井浩喜君（現在、日田で眼科を開業）にその研究をひきついでもらうことになった。讃井君はマクロファージの貪食を抑制するコルヒチンをモルモットに打つと、好中球を貪食するマクロファージの出現が悪く、好中球が腹腔内に長時間とどまることを、チオグリコレートやプロテオースペプトンを腹腔内注射することによっても証明し報告した（Brit.J.exp.Pathol. 63:278-284,1982)。

讃井君はそのあと、感染がひきがねになっておこる自己免疫病のテーマに移り、好中球を貪食するマクロファージの研究は産業医大に移った私が続けることになった。産業医大では小倉の逓信病院で薬剤師をしていた山本千幸氏が、塩野義製薬の湯通堂隆博士の紹介（二人は大学の同級生）でこの研究をすることになった。山本さんには in vitro での解析をしてもらい、自己由来好中球とマクロファージを混合して培養すると in vitro でもマクロファージが好中球を貪食すること、その培養中に胎児牛血清を入れると貪食が亢進すること（FEMS Microbiology Immunology105:211-218, 1992）、さらにＬＰＳやＧ－ＣＳＦを入れると好中球のアポトーシスが抑制されマクロファージによる貪食をまぬがれることを発表した（Infect. Immun. 61:1972-1979, 1993）。

その当時アポトーシスが話題になりかけていた。この発表は好中球のアポトーシスを研究したものの中では初期に属する。これらのことは炎症がおこる時には好中球が浸透してくるが、炎症部位に浸潤した好中球はアポトーシスをおこし（おこしにくいものもいるが）マクロファージに貪食されて消えてゆくこと、即ち炎症の終焉に深く関与していること、ということは創傷治癒（wound healing）にも関与していることを示したものである。山本さんはその後アロエとこの現象の関係を研究し始めたが、私が九州大学に移り、十分研究できないまま、時間だけが過ぎてゆく。山本さんにはたいへんすまないことをしたと慚愧に堪えない。

この研究のきっかけをつくった安達洋祐君は卒業して第二外科に入局、平成十二（二〇〇〇）

年大分医科大学外科学助教授、平成十五（二〇〇三）年岐阜大学医学部腫瘍外科学の教授となった。彼の業績の最初にあげられるのはいつも、一緒に研究した自己好中球を貪食するマクロファージの論文 Brit.J.exp.Pathol. 63:278-284,1982である。しかもそれは彼の名前が last name についた論文である。

細菌学教室「青藍会報」巻頭言より

着任のご挨拶

［「青藍会報」第21号、一九九八年］

平成十（一九九八）年八月一日付で九州大学医学部細菌学講座の教授に着任しました。三月四日の教授会で選出されたことを厳粛に受け止め、産業医大での十七年四カ月にわたる研究生活の名残を惜しみつつ参りました。二十年前に大学院生、助手としてお世話になっていた教室と実験室は温かく私を迎えてくれたようでした。教授室のゆったりとした空間は奥行きの深さを感じ、長い伝統に支えられた熟成された時空を感じさせるものでした。研究室に行くと二十年前みんな一緒に実験をしていた光景が思いだされ、なつかしさがこみ上げてきました。実験机にふれると実験の意欲が湧いてきて若い人たちと実験をやる気が出てきました。

細菌学教室には毎年一回、「青藍会報」を発行する伝統がありまして、教授はその巻頭言を書くことになっております。定年まで続きますので、通して読むと世の中や研究の世界の流れがある程度お分かりになると思います。教室の先生方には文章がお上手な方が多いので、その原稿を早く読めることも発行作業の嬉しい余得です。

　私が以前一緒だったスタッフは大賀さんと高出さんだけでしたが、天児先生時代のスタッフ四人と大学院生二人ともども私を歓迎してくれました。なにしろ一年半も教授不在でしたのでスタッフの方々はご苦労だったと思います。私たちは教室の大掃除から始めましたが、みなさんは誰一人としていやな顔も見せず手伝っていただいて感謝しています。特に物品庫にはラベルのとれた試薬類や、廃液が収納されており処置に困っていましたが、ちょうど毒物・劇薬の管理が厳しくなったのをきっかけにして用度掛の方に処分していただきました。また、色素類がたくさん出てきましたが、これは戸田の抗酸菌染色や鞭毛《べんもう》染色を開発された当時の貴重なものと思います。

　今後の研究の方向ですが、これまで分子遺伝学が変異を軸として発展したために、細菌が環境の変化に対してどのように機能を調節しているかという研究がどちらかというと遅れていると思われます。これからは生命体としての細菌が環境の変化に対応してリアルタイムにどのように表現を変えているのかということを研究したいと思っています。すなわち、細菌の日常生活を知りたいということ、細菌の生命としての表現の豊かさを明らかにしたいということです。細菌行動学と言ってもいいかも知れません。ですから、これまで天児先生がやってこられた

「生きているが培養できない状態」の細菌は重要なテーマであり研究を引き継ぎます。もちろん医学部の細菌学教室として細菌の病原因子にも焦点をあて続けていきますが、病原性の発現も細菌行動学の一面として捉え、動物や細胞レベルの感染実験を行いたいと思っています。

人事についてですが、守屋哲博助手が東京文化短期大学の教授に栄転することが決まりました。これからの先生の研究の発展を祈ります。四月からは梅田講師、藤本講師、水之江助手というスタッフ構成です。大学院生は齋藤光正君（小児科臨床大学院）と飯田健一郎君（九大理修士卒）の二人が研究に励んでいます。両君には是非いい仕事で学位を取得してもらえるよう残り一年を鍛えたいと思います。

禅寺の境内に卒塔婆が立っていて、大円鏡智、平等性智《びょうどうしょうち》、妙観察智、成所作智《じょうしょさち》と書いてあります。これは悟りの境地と悟りの人の行動を書いてあるので私にとっては目標とするところですが、今の私はとくに平等性智を大切にしています。この平等性はいろいろなレベルで言えることですが、「一寸の虫にも五分のたましい」と言うときの「たましい」は永遠のいのちのこと、細菌にも息づいているし人間にも息づいているということ。教育においては学生とともに学ぶということになると思います。未知の領域に対しては先輩も後輩も、経験豊富なものも未経験のものもみんな平等であると思っています。

温故知新というのは、いつの時代にもこころすべき真理だと思います。多くの先輩たちは私たち青藍会の宝です。そしてこの宝には生滅あり、好不調あり、泣き笑いありです。昨年は川田十三夫先生と萩原義郷先生が亡くなられました。そして一方では若者たちが細菌学教室に入り、学び、旅立っていくことでしょう。今年から何人大学院生が入ってくるでしょうか。将来に向けて若き細菌学者を育てることが私に託された使命だと思っています。使命とは命を使うことですから、私はそのことに私の命を使いたいと思っています。

［「青藍会報」第22号、一九九九年］

学者と研究者――似て非なるもの

平成十（一九九八）年八月に着任して、はや一年半が経過しました。その間、平成十一年四月十日には第五十九回青藍会集談会および懇親会を開催し、同門の先生方には青藍会への新たなるご参加とご支援をお願いし、一方、青藍会としては同門の先生方への力添えをお約束したところです。また、平成十一年九月には日本細菌学会九州支部総会を医学部キャンパスの同窓会館で開催し、教室スタッフの一致協力で無事成功裏に終えることができました。シンポジウム「微生物の生態を透して病原性を視る」も好評だったのでほっとしています。

九大に赴任しますと、さっそく日本細菌学会の理事や、九州微生物研究会（ヤクルトの支援）の副会長、さらには平成十三年の「腸管出血性大腸菌感染症シンポジウム」の会長などをおおせつかり、個人の力量以上の仕事をまかせられることとなり、責任の重さを痛感しています。学生の教育も新体制で一年を乗り越えました。研究のほうも水之江助教授を中心として斉藤助手、飯田、石川両大学院生が夜遅くまで研究に打ち込んでくれて成果が着実にあがっています。人数は少なくとも、みんなで楽しく研究をしています。

さて、昨年の会報二十一号に私は「細菌学者を育てたい」と抱負を述べました。それは、興味本位で研究をする単なる研究者（Researcher）ではなく、学問全体を視野に入れた学者（Scholar）を育てたいということでした。研究する者は自分の世界観、自然観、人生観を形成しその思想から、研究テーマの発想、研究の方向づけ、意味づけ、価値判断をして欲しい、そうすることによって自分の思想を発展させて欲しいということです。前号の光山正雄教授からいただいた文章にも、研究費の申請書を読んでいての感想として「Technique的には文句のつけようがないのだが、そこに研究者のPhilosophyが感じられない」ものが多いとありました。孔子の「学びて思わざるは昏し、思うて学ばざれば危うし」の構文を借りるならば、現代は、学びて（知識は豊富で研究のTechniqueはすぐれているが）思わざる（Philosophyのない）人が多いということでしょうか。あまりに急激にTechniqueが発達したために、それに目を奪われたこともあるでしょう。また、自分でPhilosophyがあると思っていても、目先の実利主義などと錯覚していることもあるのではないでしょうか。

私は若い研究者が学者にまで成長してもらうために、研究は現象の発見から出発することが大切と思います。新しい現象の発見ほどわくわくするものはありませんし、それが研究を続けるエネルギーとなるからです。また、自分の発想で実験系を組みそれがうまくいった時の喜びも学者冥利です。とかく先端技術の修得に興味が走りやすいのですが、研究はまず現象の発見に始まり、技術や方法論はそれについてくるものとの認識が大事と思います。Technique が大切なのはもちろん否定しませんが、先端技術ほど古くなるのも速く、基礎的な事の大切さの再認識が必要です。大学院生には分子生物学のみならず細胞培養も動物実験も学んでもらいます。繰り返しになりますが、アイデアも方法論もどちらも大切です。若い人には興味が一方に傾かないように心がけて欲しいものです。

私は教養教育の中にこそ専門的な独創の芽があると確信しています。現在、多くの大学の教養部が解体されてしまいましたが、それは大学人が（教養部の教官も含めて）一般教育が専門教育よりも低位であるとの考えを持つようになった結果であり、残念でなりません。ヨーロッパには一般教養を Liberal Arts と言って尊重してきた歴史があります。私はオランダのライデン大学に留学しましたが、ライデンの科学博物館に行って、科学が芸術的・宗教的であり、芸術が科学的・宗教的であることを強く感じたのでした。医学・医療の世界でも一般医 Generalist が専門医 Specialist より低位にみられる傾向がますます強くなっているのは危惧されることです。若い学徒が研究者から学者へと成長するために是非真の教養を深く身につけて欲しいと願います。

最近思うことは、教授という職も一つの「場」であり、みんなが役者として働く舞台を整えるのが教授職なのだということです。そして時に応じて役者にもなるし、役者を指導する舞台監督にもなる。個々人がこの舞台で生き生きと創造的な働きをして自己実現すること、これができれば最高です。

「カントの時代は、世界が科学から考えられた、今日は科学が世界から考えられなければならない」（西田幾多郎：デカルト哲学について）。「世界から」とは「世界成立の真理から」ということ。何ごとも（科学も技術も医療も）世界成立の真理から考え直さなければいけない時代になっているのではないでしょうか。

最後になりましたが、平成十二（二〇〇〇）年三月に南嶋洋一教授、野本亀久雄教授、木村元喜教授がご定年を迎えられ、さらに永年細菌学教室に勤められた大賀和子技官が定年退官されます。三月十八日の青藍会は先生方のこれまでのご功績に感謝する会にしたいと思っています。

発見や創造のプロセスは説明できるか

［「青藍会報」第24号、二〇〇一年］

この問題は古くから多くの人々が考えてきたことである。数学のポアンカレの著書や、本邦では市川亀久弥氏の等価変換理論などがあるが、過去の発見・創造を振り返ってそのプロセスを説明はできても、その通りにやれば発見や創造ができるという理論はまだない。

研究者にとって発見の喜びほど大きいものはないし、芸術家にとっては創造が仕事である。天才には天賦の才能に加えて人並み以上の努力が伴っているという。その才能の生まれた所以《ゆえん》は遺伝的なもの以上の説明はできないであろうから、せめてどのような努力がなされたのか、あとを追うことになる。しかし心の中はうかがい知れず、創造の秘密はどんなに近くにまとわりついていても分からない。

偶然の発見というのは多い。偶然だからもとより論理化はできない。偶然の副産物を Serendipity という。ノーベル賞を受賞された白川英樹氏の発見にも偶然性のいたずらがあった。そこからはいつも発見の準備をしておくことの大切さを教えられる。

私の記憶では類推が発見や創造に大切なことを言っていたのは湯川秀樹である。いわゆるひらめきなるものも、過去の心の動きや疑問を未解決のまま布置 Constellation していたものが、あるきっかけで結びつくところに生じるものである。これは凡人でも未解決問題群を心の中に布置する努力をすることによってひらめきの準備ができるということなので、私にはこの方法が一番しっくりくる。

NHKの「プロジェクトX」という番組は、細菌学教室の若い人たちの間でもたいへん人気のある番組である。この番組は困難な仕事をやり遂げた人たち（グループ）の成功の物語である。その中で何度か取り上げられた本田技研の久米是志《ただし》氏はCVCCエンジンを開発したグループのリーダーであったが、定年後、なぜホンダが創造的な仕事ができたか、なぜ開発がうまくいったのかということを「創造の場」という観点から研究している。その話が面白いので紹介したい。

久米氏は発見や創造的なものづくりが心の問題を抜きにして語れないことを知り、仏教の勉強をする。そこで創造のプロセスと仏教の六波羅蜜《ろくはらみつ》にたいへん共通したものを見出した。六波羅蜜とは仏教の修行者に課せられた六つの実践徳目で、布施《ふせ》、持戒《じかい》、忍辱《にんにく》、精進《しょうじん》、禅定《ぜんじょう》、智慧《ちえ》のことをいう。これらの六つの徳目が、成功した「創造のプロセス」にあてはまり、次のようになるという。

① 布施：世のため、人のため、仲間のため、次世代のためという利他意識や地球環境をなんとかしなければという危機意識が研究の出発点となっていること。

②持戒：やってはいけないことはやらない。生活も節制する。研究のルールには従う。
③忍辱：失敗や挫折があっても耐える。恥を忍ぶ。
④精進：くじけたり後退したりしない。
⑤禅定：課題（客体）と自分（主体）が一つになるまで明けても暮れても課題を考える。
⑥智慧：分かったというひらめきが起こる。

禅定の段階では対象に向かう意識（主客分離の意識）が消え、対象と一つになっている（主客未分、純粋経験）。夢にまで見るとか、夢がヒントになったというのは、この段階に来ているのだろう。布施の段階にもすでに自他非分離の志がみられるという。ひらめきが起こった時のことをグループの仲間に聞くとみんな、自分で分かったとは思わない、神から教えられたと言うそうである。

この六波羅蜜は覚《さとり》への道であるが、こうしてみると発見・創造のプロセスと同じであるという指摘は久米氏の炯眼《けいがん》というべきであろう。しかし精進までのプロセスは誰にでも理解できるが、禅定の段階は対象意識が消えた世界であり説明はできない。分かったというひらめきも自分が分かったというより、神から教えてもらったというのであるから説明できる世界での出来事ではないのである。頭脳のいい人、または自分の頭脳はすぐれていると思っている人は自分の頭脳に頼りすぎるところがあると思われる。私は自然のしくみは人間の論理思考をはるかに超えていると思っているから、発見や創造は人為的・作為的な論理性への過信ではなく、むしろそれを離れたところに生起するものと思っている。だから発見や創造の体験は素晴らしいのである。

ディレンマからテトラレンマへ　転換期の考え方

［「青藍会報」第25号、二〇〇二年］

ハムレットの独白「在るべきか、在らざるべきか、それが問題だ」はディレンマに陥った人間の苦悩する姿としてよく引用される。「忠ならんと欲すれば孝ならず、孝ならんと欲すれば忠ならず」は日本的ディレンマの典型例である。二つの相矛盾する選択肢の間で身動きがとれない状態をディレンマ（Dilemma）に陥るという。

ロゴス（Logos）に対してレンマ（Lemma）があり、ディレンマに対してテトラレンマ（Tetralemma）という論理が東洋にあることを示したのは山内得立博士（『ロゴスとレンマ』岩波書店）である。このレンマという言葉はギリシャ語に由来し、もともと把握する、手でつかむという意味であるが、「具体的にして直観的な理解の仕方」（山内得立）をいい、ロゴス（論理）と対比的に使われる。

ディレンマはAか、非Aかの二者択一である。テトラレンマはこのディレンマに、さらに二つのレンマを加える。その二つとは「単にAでもなければ、単に非Aでもない」(両方の否定)と、「Aでもあるし、非Aでもある」(両方の肯定)というものである。日常的にも好きか嫌いかというディレンマで割り切ることより、好きでもなければ嫌いでもない、好きでもあるし嫌いでもある、という感覚の方が現実的であることが多い。これをあいまいとか態度不明とかいうのはむしろ、ディレンマからの批評であり、批評する者の立場が一面的・抽象的なのである。テトラレンマがより具体的な認識の方法であるということは物理学においても妥当する。例えば、光は粒子(非連続)と波動(連続)という矛盾しあう二つの性質を同時にもち、粒子か、波動かのどちらかが正しいのではない。光は単に粒子でもなく、単に波動でもなく(両方の否定)、同時に粒子でもあり波動でもある(両方の肯定)。

最近、至る所でディレンマの押しつけが強くなっているのが気がかりである。アメリカのブッシュ大統領は「アメリカの味方か、テロリストの味方か」と二者択一を迫っている。これは明らかに、善か悪か、の単なるディレンマの立場である。論理的には不十分なディレンマをこのように他人に強要してはならない。細菌学の分野でも「人類は細菌に勝てるのか」という題名の本が出版された。市民講座の中にも「細菌は敵か味方か」というタイトルがみられた。私たちと細菌の関係も、勝つとか負けるとか、敵か味方かというディレンマにとどまって考えてはならないのである。知的所有権が個人にあるのか会社にあるのかという問題も、ディレンマで考えては解決にならない。「個人あって会社あり、会社あって個人あり」。

私たちが研究しているレジオネラが二十四時間風呂で増殖するという問題にしても、生物浄化槽を使うとお湯はきれいになる（浄化）が、これが皮肉にもレジオネラの増殖の温床になる（危険）ということで、生物浄化槽を使う限りディレンマを避けることができない。しかし、これをテトラレンマで考えると、「（どちらもとらない）両否」の立場に立てば二十四時間風呂システムを廃止した方がいいということになり、「両是（お湯の浄化と安全性）」の立場をとれば発想の転換をして新しいシステムを創り出さなければならないということになる。ディレンマは分断の論理、それに対しテトラレンマは矛盾する両方を肯定する論理であり、平和の論理とも言える。

「A」と「非A」の結びつき方から、テトラレンマの「両否」と「両是」にアプローチすると、「Aと非Aは異なっているが分けられない、一つであるが同じではない」という関係になる。これが「色即是空、空即是色」の「即の論理」へと発展する。これはA「即非」Aともいえるので鈴木大拙は「即非の論理」と呼んだのである。「即」の論理構造を哲学的に初めて明らかにして展開したのは西田幾多郎であり、この論理が「絶対矛盾的自己同一」と表現されたのである。

来年四月の医学会総会では「西田哲学が生きる医療」というタイトルでシンポジウムを組みました。ご興味を持たれる先生方のご来聴をお待ちしています。

現在、世界は大きな転換期にさしかかっています。世界は米ソ対立の構図から「アメリカによるグローバリゼーション」対「イスラム世界」の構図となり、アメリカのバブル経済の破たん、大企業の信用の失墜がありました。日本でも大企業の倒産があり、株安が一段と進んで資本主義の行き詰まりが見えてきました。政治に目を向けると長野県知事選では間接民主主義への批判が勝利を得ました。こういう世界の転換期にこそ、テトラレンマの論理で対処していくことの重要性が切実に問われるのではないでしょうか。

［「青藍会報」第26号、二〇〇三年］

テトラレンマから矛盾的相即の論理へ

前号の「ディレンマからテトラレンマへ」で、私たちは普段ものごとを「アレかコレか」のディレンマの論理で判断しているのに対し、東洋には「単にアレでもなく、単にコレでもない」、「アレでもあるしコレでもある」を加えたテトラレンマというものの捉え方の伝統があるということを紹介しました。今回はテトラレンマのものの捉え方がさらに発展して「矛盾的相即の論理」になることについて書きたいと思います。

「A」と「非A」を分け、A＝A（同一律）、A≠非A（矛盾排斥律）、「Aでもなければ非Aでもないものはない」（排中律）というのがアリストテレスの形式論理です（本書二一九ページ、表1参照）。西洋ではこれに合ったものだけが「合理的である」と判断される、その根拠となってきたものです。しかし昔から東洋では「単なるAでもなければ、単なる非Aでもない」（両否）と、「Aでもあるし、非Aでもある」（両是）の考え方がありました。この両否と両是をディレンマに加えたのがテトラレンマという、ものの捉え方です。

テトラレンマは単に選択肢を広げるというだけでなく、豊かな発想、生きた決断に導く東洋の知恵と言えます。しかしここでまた両否か両是か、と考えるとまたディレンマに逆戻りしてしまいます。テトラレンマのすぐれた点は「Aでもなければ非Aでもないものはない」（排中律）をより深く考察して、それで終わりというのではなく、「単なるAでもなければ単なる非Aでもない」（両否）と考え、だから「Aでもあるし非Aでもある」という「両是」のテーゼにつなぐところにあります。そして、「両是」のテーゼは矛盾を受け入れますので「容中律」です。この両否と両是が同時に成立するものとして、同時に捉えるところに矛盾的相即の論理への展開がみえてきます。

両否と両是が同時に成立するとは、めちゃくちゃな論理だと思われるでしょう。無論いわゆる合理性を真偽の判断の根拠におく知性の立場からはそうでしょう。しかしその立場で本当のことがわかるか、ということが問題にされねばなりません。そこで、先生と生徒を例として考えてみます。先生は生徒に教えるのが先生ですから、生徒のいない単なる先生というのはあり得ません。同時に逆に生徒は先生に習うから生徒であって、先生のいない生徒というのもあり得ません。だから生徒のいない単なる先生というのは成立しないし、先生のいない単なる生徒というのも成立しない。だから両否は成立します。次に両是を検討します。先生は生徒を前提にしていますから、先生であることは生徒を含んで成立します。同様に逆に生徒は先生に教えてもらうことを前提にしていますから、生徒という時には、先生の存在がすでに含まれています。このようにして両是が成立します。医者と患者の関係、売り手と買い手の関係など、同様です。

このようにお互いに異なったものが相手側に根拠をもって成立する故に、両否・両是が成立するという論理が東洋にありました。それが「即」の論理です（『般若心経』の色即是空、空即是色の即）。即は異なったもの、対立するもの、矛盾するもの（相互否定）がお互いに相手側に根拠をもって成立する（相互肯定）ということ。矛盾したものが、矛盾する故に結びつく（相互否定即相互肯定）という論理です。「存在に分《ぶん》の義あり」といわれますが、この世にあらわれるものはすべて他と区別されるものとして（分として）あらわれています。それらが、お互いに即の関係になっています。西田幾多郎が根本的真理を明らかにするために苦心惨憺して到達したのが「絶対矛盾的自己同一」でした。在野の仏哲・中山延二博士は、これを「矛盾的相即の論理」と呼びました。矛盾的相即は言いかえますと、矛盾するものが「異にして分かつべからず、一にして同ずべからず」の関係、古典的表現では「不一不二」「一如」の関係であることを明らかにします。西洋では十五世紀にクザーヌスがCoincidentia oppositorumと言っているのが、これに当たります。これは「反対の一致」と訳されていますが、「矛盾の相即」と訳してもよいでしょう。しかし、西洋ではこの論理が主流となることは、ついにありませんでした。
矛盾的相即は、物事が真実か虚偽かの根拠です。だからしつこいようですが、一人でも多くの方にこの論理を知っていただきたいのです。自己の根拠は自己になく相手側にあると捉える矛盾的相即の論理は、お陰様の感謝の論理でもあり、お互い様の平和の論理でもあるのです。

［「青藍会報」第27号、二〇〇四年］

いのちへのまなざし　宿命・運命・使命

米国航空宇宙局（NASA）の観測によると、ビックバンで宇宙が誕生したのは一五七±二億年前だということです。太陽系の中の地球の誕生は、四十六億年前と推測されています。生命の誕生は四十億年前、恐らく原核生物かそれよりもっと原始的なものだったでしょう。真核生物の誕生が十八億年前、多細胞生物は六億年前という推測です。ビックバン直後に水素原子核（プロトン）、数分後にはヘリウム（He）ができたと考えられています。生命が進化して人類が誕生したのは四〇〇万年前ですが、我々の生命には四十億年の歴史があると言えます。ところがプロトンの寿齢は一〇二二年もあり、一五七億年前にできたプロトンを我々の生命がいまだに使っているということは、生命の歴史は一五七億年といっても過言ではないでしょう。我々の個々の生命には、誕生があり死があるので非連続ですが、非連続の個々の生命が脈々と「いのち」をつないでいることが分かります。（ここでは非連続の個々の「生命」と区別して、脈々とつながっている生命を「いのち」と平仮名であらわすことにしました。）この「生命」も「いのち」も、我々が予期せずしていただいたものです。

宿命・運命などというと、宿命の対決とか運命のいたずらとか、とかく人生も未来も前もって決定されているようなイメージがあり、それを試練などと、否定的に受け取りがちです。宿命は「いのちをやどす」、運命は「いのちをはこぶ」と読めます。もともとはこういう意味だったと考えられます。生き物は、それぞれの「生命」を宿されています。アリにはアリの、ミミズにはミミズの、カエルにはカエルの、そして人間には人間の。私たちは人間としての「生命」を宿されました。「万劫《まんごう》にも受け難きは人身」です。これは不可思議（思議すべからず）の世界です。

運命を「いのちをはこぶ」と読みますと、意味空間が広がります。私たちの命は運ばれています。何が命を運んでいるのでしょう。「あしあと」という詩があります。

ある夜、一人の人が夢を見た。彼は夢の中で主と共に浜辺を歩いていた。空一面に生涯の中の各場面が映っていた。それぞれの場面で、砂の上に二組の足跡があるのに気付いた。自分の足跡と主の足跡……。

一生の最後の場面が映り終わった時、彼は砂の上の足跡を振り返ってみた。そして自分の一生の道のりの中で、たびたび一組の足跡しか残っていないのに気が付いた。しかも、それが一生の中でまさに最も落ち込んだ、最も悲しかった時に起こっているのに気が付いた。

彼は非常に気になって主に尋ねた。「主よ、あなたは私があなたに従う決心さえすれば、ずっと私と共に歩いてくださるとおっしゃいました。それなのに、一生の中で最も困難だった時に、一組の足跡しか残っていないのに気付いたのです。私が一番あなたを必要としていた時に、どうしてあなたが私を独りぼっちにしようとされたのか、私にはわかりません」。

主は答えられた。「私の大切な大切な子よ、私はおまえを愛しているので、決しておまえを一人にはしない。おまえの試練と苦しみの時、おまえには一組の足跡しか見えない時、その時に私はおまえを運んでやったのだ」。

この詩は長年「作者不詳」とされてきましたが、実はマーガレット・F・パワーズというカナダの女性が作ったものであることが分かりました。そのいきさつについては、彼女の著作『あしあと』"Footprints"（松代恵美訳、太平洋放送協会）に詳しく書かれています。内容はキリスト者の信仰告白です。

みなさんはいのちをはこんでくれるものは何だと思われますか？　道元は「この生死は、すなわち仏の御いのちなり」（『正法眼蔵』生死）と言っています。

使命は「いのちをつかう」です。私たちは「いかに生きるか」を問題にしますが、いただいた（宿された）「いのち」、運んでもらっている「いのち」をどう使うかというのが使命の問題です。何のために、どのように。鶴の恩返しのような命の使い方もあり、汚職に使う命もあります。京都大学の宗教学の教授であった久松真一博士の「人類の誓い」をご紹介します。

私たちは　よくおちついて　本当の自己にめざめ
あわれみ深い心をもった人間となり
各自の使命に従って　そのもちまえを生かし
個人や社会の悩みと　そのみなもとを探り
歴史の進むべき　ただしい方向を見きわめ
人種国家貧富の別なく　みな同胞として手をとりあい

誓って人類解放の　悲願をなし遂げ
真実にして幸福なる　世界を建設しましょう

「各自の使命に従って　そのもちまえを生かし」とありますが、その前に「よくおちついて本当の自己にめざめ」と書いてあります。現代、「よくおちついて」ということが忘れられた、あるいは、できなくなったのではないでしょうか。静かに坐ること、黙想すること、祈ること、そして、本当の自己にめざめること。久松先生は「本当の自己」を「無相の自己」と表現しています。「誓い」や「誓願」というのは、できる・できないの問題ではありません。理想に向かって「誓い」を立てる、そういう「いのち」の使い方をするということです。

宿されたいのちに感謝し、いのちを運ぶものに従って、いのちを使わせていただきたいものです。

［「青藍会報」第28号、二〇〇五年］

三浦梅園の思想

三浦梅園は江戸中期の国東半島の人である。享保八（一七二三）年、杵築藩富永村（現在の国東市安岐町富清）に医者の子として生まれ、寛政元（一七八九）年に六十七歳で死去するまで、その一生を国東半島での医業のかたわら、強靭な精神力で多くの書籍を読み、真理を求め、思索し、多くの著作を残した。

「吉田さんは興味があるでしょう」と中山宏明先生からいただいたのは『三浦梅園自然哲学論集』（岩波文庫）だった。この文庫本には梅園思想の手引きともいえる「多賀墨卿君にこたふる書」「洞仙先生口述」などが含まれている。前者は弟子の多賀墨卿の疑問に答えた長い手紙である。この本を読んで、私は梅園の思想に仏教・西田哲学との共通点が多いことを初めて知った。

梅園は梅園三語と呼ばれる主著すなわち『玄語』『贅語』『敢語』を著した。これらには梅園思想が天文学・医学を中心にして展開されている。私が興味をもったのは、思想を展開する基盤となった、梅園の真理についての直観の内容である。

梅園は、「我、十歳にみたざりしより内より大いに疑団を蓄へき」と「洞仙先生口述」に書き始めているように、人々が当たり前と片付けている様々な現象に疑問を抱きつづけていた。そして「三十の年、始て天地は気なりと心つきたり。それより天地に条理という者有る事を見付たり」と天地の「条理」を直観した。そのきっかけは宋の儒者・邵康節《しょうこうせつ》の「反観」にあった。

邵康節は先入観を捨てて物になって観ることを「反観」と称した。梅園はここから一歩進んで、主観を捨てて物になってみると、物事は必ず相反するものが一に合して成立しているということに気づく。梅園は陰陽の扁をとって侌昜という熟語をつくる。いわく「天地の道は侌昜にして、会易の体は対して相反す。反するに因て、一に合す。天地のなる処なり。反して一なるものあるによりて、我、これを反して観、合せて観て、本然を求むるにて候」(「多賀墨卿君にこたふる書」)。この直観を梅園は「反観合一」と呼んだ。梅園は物の見方である反観を存在構造を示す「反観合一」にまで高めたのである。「其達観する処の道は、即ち条理にて、条理の訣は反観合一」「……是、反して合一する処を観るなり。何ゆへに、反して合一する処を観るとなれば、物一々と成るかたち本来必ず相反す。本来よく反する故に、合すれば、一つと成る」というう。また、「反観合一、心の執する所を捨て徴に正に依る」と書き、「師とするものは天地なり」と書いている。あくまで、実証することを説いた。

梅園の書いていることにきわめて近い思想を、西田幾多郎の文章にもみることができる。「相矛盾するものが、一とはいわれないではないかというでもあろう。いわゆる判断論理の立場からは、その通りである。しかし何処かに、何らかの意味において、一という点がなければ、相矛盾するとはいわれないではないか。相反するものが一なればなるほど、相矛盾するということができる」(『西田幾多郎哲学論集Ⅲ　自覚について』岩波文庫、一九六ページ)私はこれから西田哲学を語る場合に、三浦梅園の名とその反観合一を取り上げなければならないだろうと思う。そして三浦梅園を含めて、これまで明らかにされていない仏教・西田哲学の系譜を豊かにしていきたいと思う。

岩波文庫の書名に「自然哲学論集」とあるように、また、梅園の著書の内容が示すように、梅園の興味は主に自然科学にあった。それに対し、有と無という哲学上の命題や、生と死という人生の問題を梅園はどう観ていたのであろうか。「己を有して己れに反する者を観れば、すなわちもって己れに非ざる者を知る。己を捨てて己れに反する者を体し、而して己れを反観するはすなわちもって己れを知る」(『贅語』天人帙上天人訓)。これは梅園が十歳の頃より抱きつづけた疑問「人はどこから来るのか」という疑問への一つの解答であろう。「神は則ち物中に没し、物は則ち神中に露す」(『贅語』)。これは有と無の問題への言及と見ることができる。

梅園は一生の間に大阪に一回、長崎に二回旅行しただけで、人生のほとんどを国東半島にて過ごした。私は江戸時代に国東という田舎で多くの本を読みながら「反観合一」という条理に到達した梅園の思想力にあらためて敬意を表したい。

「必ず対あるものは自然なり」(三浦梅園)

矛盾的相即の論理がここにもある。

参考に北宋の儒学者・程明道の言葉を紹介したい。

「天地万物の理は独なく必ず対あり」

カントのアンチノミーと科学の限界

［「青藍会報」第29号、二〇〇六年］

旧制中学で歌われた文句がある。いわゆるデカンショ節である「デカンショー、デカンショーで半年暮らすヨイヨイ」と。デカンショーとは無論、デカルト、カント、ショーペンハウエルである。これらの哲学を学んだ旧制中学の精神的時代背景はどのようなものだったのだろう。私はあこがれさえ懐《いだ》くのである。

デカルトの『方法序説』、ショーペンハウエルの『自殺について』は一度読んだことがある。しかしカントの原著は未だに読めずにいる。西田哲学を勉強するようになってカントの認識論などカントの考えたことにも少しは接点ができたように思う。カントの「物自体」(Ding an sich)のことなどすごく面白いテーマであると思う。カントは物自体は知り得ない、時間・空間の概念を通してしか物は認識できないという。

もう一つ科学に携わる者として気になる、カントが残したものがある。それはカントのアンチノミー（二律背反）である。『広辞苑』によるとアンチノミーとは「相互に矛盾し対立する二つの命題が同じ権利をもって主張されること」とあり、「カントは理性だけで世界全体の根本的問題を解決しようとすると、二律背反に陥ることを指摘した」との説明がついている。『カント

はこう考えた』（石川文康著、ちくま学芸文庫）によるとカントが提出したアンチノミーは、

① 世界は時間・空間的に有限である。
世界は時間・空間的に無限である。

② 世界における合成された物はそれ以上分割できない単純なエレメントから成る。
世界には単純なエレメントは存在しない。空間は無限に分割できる。

③ 世界には絶対的な始めとしての自由がある。
世界における出来事はすべて自然必然の法則、すなわち自然因果の法則によって起こる。
自由は存在しない。

④ 世界の因果の鎖の中には絶対的必然的存在者がいる。
世界の因果の鎖の中には絶対的必然的存在者はいない。

の四つのテーゼとアンチテーゼの組み合わせである。

①は宇宙が有限か無限か、②はこれ以上分割できないというアトムは存在するか、③は宇宙の始まりと自由の問題、④は神の存在に関するものである。

自然科学者にとって①と②と③は分かりやすい。結論はいずれも証明できないということで

ある。すなわち、これが宇宙の限界であるということも、これがこれ以上分割できないアトムであるということも、この時が宇宙全体の始まりの時であるということも、証明できないということである。しかし科学者は宇宙の始まりと限界を、そして究極の粒子を見付けようとして日夜しのぎを削っている。論理的に証明できないものを証明しようとする科学の基盤そのものの危うさ。科学の限界を知るべしである。時間的にも空間的にも始まりも終わりもないもの（無始無終という）を想像してみよう。それを世界というのである。世界の極小も極大も証明できないのである。自由は必然の下にしか真の自由はないということである。

④は難しい。しかし「これが神だというものはないが、神でないものはない」というのが聖人たちの到達点であると思う。「いかなるか是れ仏」という弟子の問に対し、「いかなるか是れ仏ならざるもの」と答えたのは風穴《ふうけつ》和尚である。

証明できないことを証明できると思うのは幻想である。科学者は、この危うい幻想に動かされて科学していることを忘れてはならないであろう。

［「青藍会報」第30号、二〇〇七年］

バーチャルリアリティーと南泉一株花

パソコンを使ってのインターネットやゲームが盛んになる中で、バーチャルリアリティー

〈仮想現実〉の世界が広がっている。パソコンでセカンドライフを設計して楽しむ人もいるし、仮想のお金も使えるそうだ。インターネットの匿名性と責任所在の曖昧さがそれに拍車をかけており、仮想現実と現実の区別がつかなくなっている人たちのことも社会問題化している。ゲームの中の殺人・暴力・性犯罪などを仮想現実として見るのではなく、現実の中でそれを実際に行いたい（acting out）という欲求が生じているものと思われる。仮想現実での刺激や快感、逆にそれだけでは満たされない欲望や不満が現実に向かった時に、仮想現実と現実の境界を越えて罪を犯すことになるのであろう。

どうして「コンピューター仮想現実」と現実世界の区別がつかなくなるのであろうか。人間が仮想現実を好むことは、ファンタジーやフィクションに人気があることやシュールレアリズムの芸術運動が受け入れられていることからも頷けるし、それが悪いと言うつもりはない。しかし、私たちは立ち止まって、もう一度、〈現実とは何か〉という人間の現実認識の問題について考え直さなければならないのではないかと思う。

「現実」であるこの世界を、「仮想現実」のように観ていませんか、という現実認識の問題提起が、イスラム哲学のイブン・アラビー（一一六五～一二四〇）の「存在一性論」や禅仏教にはある。中国の宋の時代にまとめられた禅の公案集に『碧巌録』というのがあり、岩波文庫で読むことができる。その中の第四十則に「南泉如夢相似」というのがある。この話はまた「南泉一株花」とも呼ばれている。

『碧巌録』第四十則　南泉如夢相似

【本則】挙す。陸亘《りくこう》大夫、南泉と語話せし次《とき》、陸曰く、「肇法師道く、『天地は我と同根、万物は我と一体』と。也《ま》た甚だ奇怪なり」。南泉、庭前の花を指して、大夫を召して曰く、「時人、此の一株の花を見ること、夢の如くに相似たり」。

南泉（七四八〜八三四）は唐の時代の禅僧で池州《ちしゅう》（今の安徽省池州府）の南泉山に禅居を構えた。陸亘大夫はその地の役人である。肇法師とは華厳宗の第三祖僧肇《そうじょう》のこと。僧肇の「天地我と同根、万物我と一体」という言葉に陸亘大夫が感激して「甚だ奇怪なり」（すごい言葉ですなぁ）と南泉に話しかける。しかし、南泉は陸亘大夫が本当に分かっていないことを見抜いている。そして、臨機応変に相手を指導する。南泉の指導は直接的である。南泉は庭に咲く一株の花を指して言う。あなたもふくめて一般の人はこの花を見てもまるで夢でも見ているようなありさまだ、という会話である。

ふつう、我々は「花が咲いている」と見る。私たちは花という名前をつけ、咲くという言葉（＝概念、コンセプト）で表現する。言葉を手がかりにした我々の常識的な物の見方であり、世界観である。私たちはすべてのものに名前をつける、名前をつけることによって私たちの概念思考が初めて可能になるからである。私たちが住む世界は言葉とその意味によって埋めつくされている。存在するものにラベル（またはレッテル）を貼るわけだ。この世界中のものが山、川、海、森のようにびっしりと隙間なく名前をつけられている。境界線をひいて区画化したあげく、区画化したものを独立した「存在者」として認識している。名前をつけるということは、我々の意識にどのような作用を及ぼすのであろうか。名前をつけて主語として使うことにより、主語を実体化し、それが現実にあるかのように思い込むという錯覚がおこる。これを「コンセプト仮想現実」と呼ぶことにしよう。名前は人為的につけられ、人間の概念の世界の中だけで意味をもつものであるが、名前をつけることによって、（井筒俊彦の表現を借りれば）「実在をこの娑婆の世界に引きずり込む」のだ。

イスラムの神秘家イブン・アラビーが唱えた「存在一性論」については、井筒俊彦著『イスラーム哲学の原像』（岩波新書）に詳しい。井筒によると「存在一性論」は「少なくともイスラーム的思惟をその究極的深みにおいて提示する一つの根源形態として、イスラーム哲学の代表とするに値する」哲学であり、「存在一性論」とは「観想によって開けてくる意識の形而上学的次元において、存在を窮極的一者として捉えた上で、経験的世界のあらゆる存在者を一者の自己限定として確立する立場で」ある。この窮極的一者を「存在」と呼び、この世界を『存在』と呼ばれる宇宙的エネルギーの自己顕現のシステムと観るのが、「存在一性論」の立場である。この一者を、井筒はしばしばXと表現する。「すなわち無限定のXがしだいにさまざまに自己を限定していくありさまを、Xの立場から新しく眺める、そういう過程を経ることによって、存在世界の真のあり方が把握できると考えるのであります」。

これで言い尽くされているのであるが、人間は「存在世界の真のあり方」が把握できていないから、「コンセプト仮想現実」と、「コンピューター仮想現実」との区別がつかなくなるのではないか。

「存在一性論」に倣って、パラダイムシフトをしてみよう。「私が存在している」の私を述語にして、存在を主語にしてみる。「存在が私している」となる。「存在がトンボしている」「存在が猫している」でもいい。すなわち「存在」は個物として存在するものではなく、一般者となる。「存在が私している」と言う時、私が存在しているのではなく、私は存在（一般者）の一表現となる。「存在が私している」とパラダイムを変えた時、これまでとちがった世界が広がってくる。そしてその立場に立つと、「コンピューター仮想現実」と「コンセプト仮想現実」の区別が分かり、さらに根源的には、およそ仮想現実なるものと真の現実存在との区別も分かるのではないか、と思う。

蛇足であるが、Xのことをキリスト者は神、仏教者は仏、如来などと呼ぶ。老子は道《タオ》といい、あるいは名前をつけようがないので「無名」と呼んだのである。

〔「青藍会報」第32号、二〇〇九年〕

教科書を書くことのむずかしさ

良い教科書に出会うことは、特に若い人にとっては大事なことであり、教科書に導かれてその専門が好きになり、その職業につくという人もあるであろう。少なくとも良い教科書は、教えてくれた先生や一緒に学んだ学友の記憶とともに、書かれていること以上の何かが記憶に残るものである。

九大医学部細菌学の歴史は長く、九大の教授になるということは、否応なくさまざまな、しかも重要な役割を引き継ぐことになる。教科書の執筆や編集を引き継ぐこともその一つである。私は『戸田新細菌学』の編著と、看護師向けの微生物学教科書の編著を、半ば自動的にお受けすることになった。

『戸田新細菌学』は二代目・戸田忠雄教授が昭和十四（一九三九）年に出版された。昨今、著者の名前が冠された著書が少なくなっている中で、孤高を保つ存在となっている。最初は戸田先生の単著であったが、昭和三十九年の改訂十八版から分担執筆となり、現行の改訂三十三版は合計四十二名による分担執筆である。この長い歴史をもつ教科書もページ数が増え、改訂し続けることは大変な労力を要する作業である。分担執筆は最初、九大医学部細菌学に在籍しているか、または出身の先生方によって行われてきた。それが、そのお弟子さんも書くようになり微生物の広い範囲をカバーしてきたのだが、現行版からは、著者の出身大学、出身教室などは九大にこだわらないことにした。また、編集にはこれまで細菌学とウイルス学の教授二人で行ってきたが、免疫学も加えて三人の編集体制となった。

『戸田新細菌学』のように歴史があって名が通り、五年ごとに大改訂が続けられ、常に新しい内容と他の教科書にはない詳しい記述を求められる教科書の編集にはそれなりの難しさがある。まず、直面する難しさとして、学生さんには大部過ぎるのではないかということである。学生さんはなるだけ薄くて要領よくまとめられ、図や写真の多い教科書を求める傾向にある。しかし、学生さんの嗜好を意識していては、日本で最も詳しく記載されている教科書を書きたいという欲求は満たされないのが自然の結果である。読んでもらう対象をどこに設定して書くのか、あるいはそれを考えずに書くのか。あっちを立てればこっちが立たずのジレンマである。

もう一つ、私が編著者になっている教科書は看護師教育のための微生物学の教科書である。ウイルスと原虫を担当されている南嶋洋一先生と、細菌、真菌、免疫を受け持つ私による編著である。多人数による分担執筆とちがって、私が分担するページ数が多いため、私の趣向を表現できるというのがこの編著の面白さでもあり喜びでもある。趣向といっても、考え方であったり、説明の仕方であったりするだけではあるが。しかし、これにはこれで『戸田新細菌学』では味わえない困難にぶつかる。それはやはり、あっちを立てればこっちが立たずというジレンマである。今回は、教科書を書いていてぶつかるジレンマについて一緒に考えていただきたく、この巻頭言となった次第である。

全体の流れと個々の要素　感染という現象は一つの流れであり、その流れの中にさまざまな要素がある。全体の流れの中で個々の要素を理解してもらいたいと思って書いているのである。感染源から感染経路を通じて病原体が生体に侵入する、それから病原因子と防御因子の攻防が始まる。生体は発症し治癒するか重症化するか、最悪の場合は死亡する。こういう流れの中で個々の要素を章立てして書いていると、全体の流れがどこかに飛んでしまう。たとえば病原因子の説明が始まると、感染の流れはおそらく読者の頭から消えかかっているだろう。読者に流れを忘れられないように書くことは難しい。

全体が分からないと部分は分からない　免疫という現象を、初めての人に分かるように書く、または説明するのは至難の業と言えよう。それは免疫現象自体が複雑であるということにも因るが、そもそも全体が分からないと部分が分からないし、部分が分かっていないと全体が分からないというのが、人間の理解の構造となっているからである。たとえば、抗原提示とＭＨＣ(Major Histocompatiblity Antigen) を分かりやすく結びつけて説明するにはどうしたらよいか。ここでつまずくと全体は闇の中に隠れてしまう。侵略者と国防のたとえを引いて説明するのも一つの手であるが、比喩としては物足りない。もっといいたとえ話はないものか。

病原体側と生体側を同時に書かなければならない　感染症は病原体と生体(宿主)との出会いと相剋のドラマであるから、両方の、両方からの、両方のための説明でなければならない。そのために病原体のことを書いたら宿主側のことを書き、次にまた病原体因子のことを書き、という風に交互に、あるいはモザイク状に書いた方がいいのであろうか。それとも、まず病原体因子のことをまとめて書いた後、宿主側因子のことをまとめて書いた方がいいのであろうか。この二通りの書き方があるのであるが、別々に書いて後で相互関係について書こうとすれば、内容が重複しているとか、ページ数が増えすぎだとの、編集者からのお叱りが飛んでくる。新たなジレンマ、内容とページ数の出現だ。

定義について：抗原は抗体を使わないと説明できない　教科書を書く時にはやたらと言葉の定義をしなければならない。たとえば、「抗原」をある医学辞典で引いてみると、長い説明の冒頭には、「免疫応答（抗体産生）や免疫寛容を誘導し（免疫原性）、または抗体と結合する活性を示す物質の総称」とある。抗原を説明するのに抗体を引っ張り出さないと抗原の定義はできないということである。つまり、ものの定義はそれ自身ではできずに、対立するものをもってこなければならないということである。読者の方々にはとりあえず抗体ということも分かってもらわなければならない。ものの根拠はそれ自身にはなく相手側にある、というのは真理である。教科書を書く側も使う側に根拠をもって書いているのである。

物事は多様な側面からの説明が可能である　たとえばワクチンを説明するのに、生菌ワクチン、死菌ワクチン、成分ワクチンという種類があり、それぞれ持続や効果、投与法の違いがあるなど、免疫学的側面からも説明しなければならないし、一方では、感染症予防の行政的側面から関連法律も含めて説明しなければならない。生物学的な免疫現象と行政は異質である。ワクチンを二つの範疇に分けて別々の箇所で記述するか、一つにまとめて記述するか、これもまた重複の問題と重なって判断が難しい。

読者へのお願い　読者には、読んでいて分からないことを分からないままに頭のどこかにそっと置いてもらうということをお願いしたい。分からないことをそのままにしておく能力のことをNegative Capabilityと言うそうである。読み進むうちにその疑問が解決できるように、書き手としては書いているつもりだが、読者の忍耐も要求される。先に述べたように全体が分からないと部分は分からないのだ。

編集者へのお願い　小説では読み始めから謎が多い方が面白いに決まっている。一方、教科書は分かりやすく書いて欲しいという編集者の気持ちはこちらも当然分かっているが、今まで見てきたように、全体が分からないと部分は分からない、関係する項（要素）を同時に書くことはできない、定義（要するに用語の説明であるが）には関係する相手側の説明も同時に要求される、などなどの理由で、読んでもらう一方から、すべてを理解してもらえるような記述は不可能であることをお分かりいただきたい。「分かりやすく」と「ページ数を少なく」も著者のみならず、出版社の方々を悩ますジレンマであろう。編集者の方々にこれらのジレンマ解決法をそっと教えてもらいたい。

おわりに　私がここで言いたいことは、モノ・コトは反対のものがいつも一つに結合し、対となって成立しており、お互いが相手側に根拠をもって成り立っているということである。感染症という現象も例外ではないし、教科書を書くことも例外ではない。この辺りの消息を親鸞上人は『教行信証』で「異にして分かつべからず、一にして同ずべからず」といっている。しかし、道元が『正法眼蔵』で書いているように「一方を証するときは一方はくらし」なのである。一方が顕れる時は他の一方は隠れている。教科書を書くことでいえば、一方を書く時は他方は書けないということになる。しかし、世の中は顕と隠が一つになって現成している。華厳的に言えば隠顕倶成的に成立しているのである。教科書の読み方、使い方の参考になれば幸いである。

〔「青藍会報」第33号、二〇一〇年〕

対《つい》の思想

二〇〇九年のノーベル物理学賞には小林－益川理論の小林誠氏と益川敏英氏が選ばれた。小林－益川理論によると、粒子と反粒子は衝突すると光となってしまうが、寿命のわずかな違いから、その数に違いが生じ、粒子の方が多くなったので（これを「対称性の破れ」という）、物質ができたというものである。益川氏が入浴中に六つのクォークを導入することを着想し、難問を解いたということも話題となった。また、益川氏は英語が話せないということで、常日頃、英語で苦労している私にとって、快なる哉、と興味をそそられた。

物質と反物質、「対称性を取ること」と「非対称（対称性の破れ）」は「対の思想」を想起させる。「対の思想」という用語があるということを知ったのは岩波書店の同時代ライブラリーに駒田信二著『新編　対の思想——中国文学と日本文学』と題する本が出たからだ。この本の最初に「対の思想——あるいは影の部分について」と題する文章が載っていて、中国文学の底流には対の思想があるが（例えば『水滸伝』）、日本文学にはそれがない（例えば『恩讐の彼方に』や『南総里見八犬伝』）と論じられている。光と影を対とするならば、日本人は「光の部分」だけで成立する話を喜び、一方、中国人は「光と影の両方」があって初めて人々に喜ばれるという。この違いは敷衍《ふえん》され民族性の違いにまで話が及んでくる。駒田氏の論語に関する著書も『聖人の虚像と実像——論語』『論語——その裏おもて』という風に、あくまで対である。駒田氏は対の思想を比較文学中心に展開している。氏が対の思想を文学以外の世界にどれほど普遍化させたかを知らないが、私には対の思想にはもっと広い地平の開けがあると思う。

「対の思想」から想起されるのは花田清輝の「楕円幻想」という小論である。『ちくま日本文学全集　花田清輝』（文庫版がある）に含まれている。この本には河合隼雄さんが「元型としての楕円」と題する解説を書いておられて、心理学者ならではの本質をついた世界観が述べられている。円と楕円の本質的な違いは、円には中心が一つしかないが、楕円には中心（焦点）が二つあることである。この二つの焦点を対と見る。花田はゲーテからこういう「ものの見方」を学んだらしい（『花田清輝評論集』「二つの焦点」岩波文庫参照）。

駒田信二の「対の思想」にも、花田清輝の「楕円幻想」にも弁証法的論理性が感じられる。しかし「正」「反」「合」の弁証法とは異なり、楕円の思想では「正」は「正」の本質のまま、「反」は「反」の本質のまま（二焦点）、「正」と「反」で一つ（楕円）である。人馬一体というが、人はあくまでも人、馬はあくまでも馬である。小林−益川理論は天地創造の理論であるから、それを取り扱う弁証法にも大きな影響を与えている（はずだ）。問題は有と無の問題であり、矛盾の自発自展という矛盾の生成過程につながっていく。プリゴジンが熱力学の立場に立って混沌から秩序の生成の理論を形成したように、小林−益川が素粒子論の立場に立って、無（と言っても、充満する高エネルギー）からの存在の生成を指し示す。私がこれまで巻頭言でしつこく書いてきた仏教の「色即是空」も、西田幾多郎の「絶対矛盾的自己同一」や「逆対応」も、中山延二の「矛盾的相即」も、お互いに矛盾したもの（二焦点）が、矛盾したままで一つ（楕円）であり、矛盾したものがお互いに相手側に根拠をもって成立するという、世界成立の真理であった。

中国の人たちが会話するのを聞いているとよく「ドゥイ」または「ドゥイ、ドゥイ」と言っているのを耳にする。これは相手にあいづちを打つ時に使う「そう、そう」に当たるもので漢字は「対」または「対、対」である。私はあいづちを打つのに「対」と応答する漢民族の知恵に感心するとともに、その言葉の使い方に「対の思想」が息づいていることを想う。中国の人たち自身がそのことにどれだけ気がついているか、これから中国の国力がますます強くなり、日本と中国との関係も深まるであろう歴史の流れの中で、それがどう生かされるのか興味深く見守りたい。

［「青藍会報」第34号、二〇一一年］

アマルティア・センと『合理的な愚か者』

インドのコルカタ（旧カルカッタ）にあるNational Institute of Cholera and Enteric Diseases（NICED）に勤めるShanta Duttaさんが日本学術振興会の論文博士事業の奨学生になったことから、私もインドを訪問する機会に恵まれた。二〇〇四年、最初のインド行きで、東洋を代表する詩人ラビンドラナート・タゴールが創立した大学があるシャンタニケタンを訪問した。そこには二〇〇〇年、ノーベル経済学賞を受賞したAmartya Sen（アマルティア・セン）の自宅があるというので、Shanta Duttaさんの案内について行った。庭にはセンの母親が日向ぼっこをしている姿を垣間見ることができた。それまでセンという経済学者のことは知る由もなく、その時初めてセンの存在を知り、その後もどんな経済学者なのか気になっていた。

帰国後、センの著書を探していて、その本（日本語訳）の書名に一瞬釘付けにされたようだった。その本は『合理的な愚か者――経済学＝倫理学的探求』（勁草書房）という書名だった。合理的な愚か者——合理的なことが最高の生き方と考えている人間たちへの何という直接的な警句であろうか。本には同じタイトルの論文が含まれており、それを読んでみたが、慣れない用語が出てくるし専門性も高いので理解するのが難しい。しかし、利己性と社会性の矛盾などの問題がとりあげられており、東洋的な香りがする経済学であることは確信した。

ふつう、自分の意見の正当性を主張するために「合理的だ」という言葉がよく使われる。合理的ということはいいことだと思っている、が実はそうではない。どういう「理」に「合っている」かの「理」の中身が問題なのだ。ここでセンが言うところの「合理的な」というのは、アリストテレスの三段論法的思考しかできないことを言っているのであり、自己の利益になることしか考えない、という意味も含まれているようである。「効率的な愚か者」「利便的な愚か者」とも通じる「合理的な愚か者」である。

アマルティア・センは最近よくテレビでも見るようになった。これまでの国の安全保障ではなく、人間の安全保障 Human Security を提唱している。気候変動や異常気象、感染症には国境がない、しかも国が人間を守れない状況が各地で多く出現しているからだ。貧困とは「能力の剥奪」であり「自由の剥奪」であると説く。ノーベル経済学賞の受賞者は毎年出ているのに、アメリカに端を発したサブプライムローン問題で世界中の経済が行き詰まるという状況をどう考えたらいいのだろう。デリバティブを考案した学者もノーベル賞を受賞した。利己的経済学がはびこりすぎて、マネーゲームにうつつを抜かしすぎているのではなかろうか。

センの経済学は我利我利亡者の経済学とは違って、経済と福祉の調和を考える、より東洋的なものである。第一次産業を基本とした経済学がもう一度考え直されなければならないのではなかろうか。

アマルティア（Amartya）とは「永遠なるいのち」という意味で、父の友人であったタゴールの命名であるという。

〔「青藍会報」第35号、二〇一二年〕

看よ、看よ

看護の「看」の字は、見れば見るほど味わい深い漢字である。この字は手と目が組み合わさってできている。

「看」の字には「見る」の他に、「みまもる（看病）」「みはりをする（看守）」に加えて、「本を読む（看書）」「〜してみる（試看、ためしてみる）」という意味がある。辞書には「手をかざしてよくみることを示す。目で対象をみる場合にのみ用いる」とあり、なるほど象形文字としてみると、手をかざしている。しかし、具体的な世界では、手を「かざして」見るという意味だけに限られているのではない。

看護の「看」を「手で見ること」または「手と一緒になって見ること」と深読みすることはできないかと考えてみる。見て手を動かす、それによって変わる患者さんの状態をまた見る。そしてまた手を動かす。観察と行動（行為）が常に一体となり（順序よくというより）観察と行為の同時進行で看護が成り立っているのがわかる。看護にこの看という字を使ったことは、看護師の仕事の内容をよく表現していて絶妙である。

ちなみに看護の護は「まもる」「かばう」という意味である。看護は手と目で患者とその生命、生活、健康を護るのである。中国語にも「看護」という語彙があり、現代中国では「看护」と書いて、患者の家族が付きそうこと（介護に近い）を意味し、職業的な看護師の仕事内容は「看理」と書くらしい。「看護」は中国でつくられ、日本で新しい意味を加えられた語彙ということになるのであろうが、こういう国語の仕事に携わった人々の知性と感性は素晴らしい。

「看」について、禅、特に『臨済録』に親しみのある人にとっては臨済の次の言葉が想起されよう。

「赤肉団上に一無位の真人有り。常に汝等諸人の面門より出入す。いまだ証拠せざる者は看よ看よ」

この「看よ看よ」に突き動かされて我々は座禅をする。臨済は「看よ」を「目で見よ」と言っているのではない。「一無位の真人」がふつうに、目で見るように対象として見えるわけではない。だから辞書にあるように、「目で対象をみる場合にのみ用いる」ということからはみ出して、臨済は使っている。「いまだ証拠せざる者は看よ看よ」であるから、看るとは証拠するということであろう。証拠するとは、はっきりとつかむこと、把握せよという言葉が意味することに近いであろう。何を把握するかというと一無位の真人であってそれは常に私たちの面《つら》から出入りしているという。面から常に出入りしているものとは呼吸である。一息一息に一無位の真人が出入りしているというのだ。その一無位の真人を証拠し、看よといっているのである。「看よ」を「みよ」と読ませるので目で見ることの意味が前面に出るようであるが、臨済の「看」の使い方は「手」に力点を置いているようである。手でつかんで、見よ、ということであろう。

「看護」や、臨済の「看よ」で用いられている「看」は、単に「見る」だけには収まらない、それ以上の意味を持つことをみてきた。それと類比的であるが、「見る」や「知る」に新たな意味を加えたのが西田幾多郎であり、「行為的直観」という思想である。行為的直観とは『働くものから見るものへ』の中に出てくる術語で、西田の哲学的概念の中でも把握するのがむずかしい西田オリジナルの術語である。普通、我々はものを見る場合、自分を世界の外に出して、世界の外から見るという態度をとる。いわゆる客観的な見方であり、哲学的には対象論理的といわれる見方である。しかし西田は、世界と自己は分離したものではなく、自己は世界内存在として、世界の要素として働いているのだと説く。直観ということも直観する自己はいつも行為と結びつき、世界内の出来事であるから、単に世界の外から見て知る、直観するものではなくて、行為と一体になった「行為的直観」なのである、という。

私は先ほど、看が「行為」と「見ること」の同時進行的事態であると言った。この時の「見ること」を直観と言い換えれば西田幾多郎の「行為的直観」ということになる。

観察と行動（行為）が同時進行で看護が成り立っていると前述したが、この事態は看護の場面だけで成り立っていることではない。すべての行為、すべての観察が、行為と観察の同時進行、すなわち「看」で行われている。野球も、車の運転も、医療行為も実験も研究も商売も、生活のすべてが。私にとって西田の「行為的直観」は分かりにくい術語であるが、それは「看」ということなのだ、というのがささやかな気付きである。つまり「看」は行為的直観にまで高められた「看」である。

［「青藍会報」第36号、二〇一三年］

Stay hungry, stay foolish.

アップル社のスティーブン・ポール・ジョブズ（Steven Paul Jobs，一九五五年二月二十四日生まれ）は二〇一一年十月五日、膵臓腫瘍の転移による呼吸停止により五十六歳の若さでこの世を去った。二〇〇五年六月十二日、彼はスタンフォード大学の卒業式に招かれ、スピーチを行った。当時、すでに癌に侵されたその姿からは、死を覚悟した雰囲気がうかがわれ、その口からは、彼の世からのメッセージとも思われる内容が述べられた。ジョブズは彼の生い立ちを含めて個人的な出来事から社会的な成功と失敗を語り、そのスピーチで多くの若者が知恵と勇気を与えられた。しかし、彼がスピーチの最後に言った〝Stay hungry, stay foolish.〟については感動を覚えたとか、意味が深いとか感想を述べる若者は少ないようだった。なぜならこの言葉はクラーク博士の〝Boys be ambitious.〟とは違って逆説的な内容であり、直接的に受け取ると意味や価値が意図とは逆にとられるからである。

Stay hungry は現在飢えている人に言ってはならないことである。また stay foolish も時と場所と相手を選ばなければならない言葉である。スピーチ最後のこれらの言葉はスタンフォード大学の卒業生を代表とするエリートたちに贈られたものである。彼の意図は何だったのか。

〝Stay hungry, stay foolish.〟は聖書のイエスの言葉「心の貧しき者は幸いなり」（マタイ5・3）を想起させる。それは「天国はそのひとのものである」と続く。「心の貧しき者は幸いなり」は逆説的な表現である。このイエスの逆説的な言葉を我々が納得できるように解釈しているのはドイツのマイスター・エックハルト（Meister Eckhart, 一二六〇年頃～一三二八年頃）である。

エックハルトの説教（『エックハルト説教集』岩波文庫）によると、貧しさに二種類あるという。外なる貧しさと内なる貧しさ。「心の貧しき者は幸いなり」は内なる貧しさとして理解すべき貧しさだという。エックハルトの内なる貧しさの人とは「何も意志せず、何も知らず、何も持たない人のことである」。何も意志することがないとは、その人が未だ存在していなかった時に、意志もせず、求めもしなかったように、何も求めてはならないこと。何も知らないとはその人は神が自分自身の中で生きていることを知ることもなく、認識することもなく、感ずることもないほどに、すべての知にとらわれることなくあらねばならない、ということ（何も持たない人については省略）。心が貧しいとは、言い換えれば、自分の欲を捨て、わがままを捨て、独善を捨て、神に従うことである。自我の強い人は自我が邪魔して神に従うことはできない。科学者には神の代わりに真理といった方がわかりやすいであろう。従うべきは真理であるからである。

ジョブズの〝Stay hungry, stay foolish.〟は「何も意志せず、何も知らず、何も持た」ずにいなさいという意味で発しているのだと思う。東洋的に表現すれば、心を空《くう》にして、無心になって、初心に返って、ということであろう。真理は時に逆説的にしか表現できないものである。ジョブズの言葉はイエスの「心の貧しき者は幸いなり」を現代風に現代人に訴えたものと思えるが、Stay poor に自制的（stoic）な雰囲気があるのとは違い、Stay hungr には意志の強さが、また stay foolish には一種の楽天主義が垣間見られた。それはジョブズが彼岸から語りかけていたからなのだろう。

十七年前に書いたことは？

［「青藍会報」第38号、二〇一五年］

平成十（一九九八）年に「着任のご挨拶」を書いてから十七年余、早や退職の日がやってまいりました。この間私と教室がどのように変わったのか、十七年前の「ご挨拶」を基に思いをめぐらせてみたいと思います。最初のご挨拶では、「教授室のゆったりとした空間は奥行きの深さを感じ、長い伝統に支えられた熟成された時空を感じさせる」と書いています。私たち細菌学教室がすまう基礎研究B棟は昭和十（一九三五）年の建築です。着任した時に教授室の掃除をして積もっていたほこりの多さに歴史の重さを感じたものでしたが、その翌日には気管支炎を起こし、予定していた挨拶まわりを中止したことを思い出します。内装が新しくなったもののの昔ほどの重みはなくなりました。動物飼育・実験室や冷室や温室はなくなり、滅菌室は小さくなりました。しかし実験室と居室は近くなり、機能的になりました。講堂は階段教室になっていますが一新されました。

次に「着任のご挨拶」には「生命体としての細菌が環境の変化に対応してリアルタイムにどのように表現を変えているのかを研究したい」と書いています。そんな現象として、マウスに筋注した化膿レンサ球菌が三週間後に急に敗血症と筋膜炎を起こす現象や、レジオネラが細胞内に入るとグルコースを炭素源、エネルギー源として使い出すなどの現象を見出し研究をしましたが、ついにその解決までは至っておりません。その間に Quorum Sensing やバイオフィルムの研究がさかんになり細菌の生態の一端がわかってきました。

研究面では十年前の二〇〇六年から始めたレプトスピラの研究で成果を上げることができたことは喜びです。フィリピン大学、千葉科学大学との共同研究です。成果として、ひとつには新しい選択剤の組み合わせを開発し、環境中の土や水からのレプトスピラの分離が飛躍的に向上しました。これまでレプトスピラは水生細菌と考えられていましたが、水よりも土壌中での生息が多く、土壌細菌と考えた方がいいと考えるようになりました。もっとも病原性レプトスピラはラットの腎臓に慢性感染していますから土壌細菌とはいえないでしょうが、非病原性については土壌細菌といえそうです。想定外の成果として、九大箱崎キャンパスの水たまりから新種のレプトスピラを見つけ、菌の名前は井戸 泰《ゆたか》先生にちなんで *Leptospira idonii* と名づけました。

その他ラット腎からの分離株がたったの一個でハムスターを感染死させることもわかりました。大量の水で菌の濃度はかなり薄まっているはずなのに、洪水の中を歩いて感染を起こすのが不思議だったのですが、少量の菌で感染が成立するのを見て納得した次第です。他にもフィリピン流行株の死菌でワクチンをつくり有効性を確かめたり、診断キットを実験室レベルで試作したりすることができました。これらの研究は稲田・井戸らの研究グループによる伝統の後押しがあったからこそできたと思っています。

終わりの方には「今年から何人大学院生が入ってくるでしょうか。将来に向けて若き細菌学者を育てることが私に託された使命だと思っています」とも書きました。私の在籍中に博士課程入学者は二十四名うち二十一名が学位を取得し、三名も近々取得できるものと期待していきます。修士課程は七名入学し、この二月までに全員修士号を取得しました。これらの若い方々と一緒に研究ができて本当に幸せだと思います。天児和暢名誉教授、中山宏明名誉教授にも助けていただいたこと、多くの先輩から励まされてここまで来られたことを感謝いたします。

「着任のご挨拶」の最後には「使命とは命を使うことですから、私はそのことに私の命を使いたいと思っています」と書きました。「そのこと」とは若い細菌学者を育てるということですが、プロの細菌学者になる道は狭き道ですので、教授になれた若者は多くはありませんが、私と少しの間だけでも一緒に研究できたことを喜んでくれる若者がいたら、私の命はよいことに使えたといえるでしょう。

青藍会の先生方、長い間どうもお世話になりました。青藍会の精神がいつまでも生き続けることを願いながら筆を擱《お》きます。

生涯にわたって哲学をしよう

［産業医科大学にて医学概論講義、一九九九年］

産業医科大学の卒業生、在校生のみなさん、私は平成十年八月一日付で、長年お世話になった産業医科大学を退職し、九州大学医学部細菌学講座に移りました。産業医大には昭和五十六（一九八一）年、私が三十一歳の時から四十八歳になるまで実に十七年四カ月の間勤務させていただきました。この間お世話になった方々にはこの場をお借りして厚くお礼申し上げます。

また、学生さんとは楽しかったこと、つらかったこと、中身の濃い思い出が数多くあります。そういう思い出を書きたいところですが、ここでは私が卒業生と在校生のみなさんに一番言いたいことを書かせて下さい。

（1）生涯にわたって哲学をしよう

これはもちろん土屋健三郎初代学長の「建学の使命」の冒頭の言葉「産業医科大学は人間愛に徹し、生涯にわたって哲学する医師を養成し……」の一節から来ています。私もなぜ哲学をするのかということを考えていました。その答えは哲学の本多正昭先生に教えていただいた山縣三千雄先生の『人間――幻像と世界』(文真堂)に見出すことができました。その中には、「元来、人生には意味がないのだから、人生の意味を探究するということは、人生の意味を創造することにほかならない」とありました。私はここに哲学することの意味と価値があること、個人における創造性があることを知りました。

(2) もう一度根源的に問うてみよう

『人間――幻像と世界』を再度引用します。

「人間とは何であるか、それを解かねばならない」

「人間こそすべての問題の出発点であり、いっさいの帰着点である。だから人間が何であるか、その前提を誤るとすべての結論を誤ることになる。人間とは一体誰なのか。どこから来るのか、どこへ行くのか、これらのことについて人間は自ら実証しなければならない」

その実証への営みはすべて創造的な仕事になるでしょう。我々が生まれ、働き、死にゆくこの世界というのは一体何なのか、その中にあって産業医大はどうあるべきか、我々はどうしたらよいのか、を考えていきましょう。だからみなさんには、ただ医者になればいい、産業医になればいいと小さな満足感にとどまってほしくない。

(3) すぐれた専門性は一般教養から

哲学や文学や歴史や社会学など、一般教養をしっかり勉強して人間形成をしていただきたい。哲学することからすぐれた専門性が誕生するのであって、現代のように細分化された専門分野からは見通しのある独創的な専門性は誕生しにくいと思われます。真に独創的な仕事の開拓は、広い視野をもった一般教養の基礎を広く身につけた人でないとできないのではないかと思います。土屋初代学長も「専門は卒業してからやればいい、哲学が大事ですよ」と言っていました。

(4) 真の進歩・発展とは何であるか

現代社会で答えを出すよう要請されていて最もむずかしい問題の一つは、真の進歩とは何か、真の発展とは何かということではないでしょうか。これまで進歩や発展はいいことと思われ、追究されてきましたが、常に自然破壊や公害や人心の荒廃ということがつきまとってきました。これではよくないことはみんな気づいている。それではどのような進歩や発展がいいのであろうか。自然の征服という発想や、人間の欲望をかなえてくれるもの、便利とかいうものは進歩・発展の基準にしてはいけないのではないか。我々が生まれ働き死にゆく世界がこわれるような進歩は、実は真の進歩・発展ではないことに気づき修正しなければならない。自然の理に基づいたものしか真の進歩とはいえないと思う。この自然の理とは何かということが大事で、これからの方向性を考えてゆく上で各自が答えを出さなければならない不可欠の要点であると思う。

(5) 自らの精神の塔を建てよう

これからみなさんは、もち場もち場で法律や制度や規則をつくることになると思いますが、哲学がないと何もできないのではないでしょうか。自らの精神の塔を建て得たもののみが歴史にも残る仕事ができるでしょう。精神の塔は誰にも倒されず風化もしないで永遠のものであり、そこからこそ有が生み出されるからです。

おわりに

私が産業医大で最後に教えた学年の学生さんはよく教室を訪ねてくれました。それで食事をしながら哲学の話をしました。そのような時間が一番楽しかったように思います。これからもそのような時間が九州大学で持てたらいいなと思っています。

私のノートに次のような言葉がメモしてありました。本多正昭先生の言葉です。

「生老病死の哲学のない医療・医学は、根なし草の如き虚妄の繁栄を誇り得るのみである」

蔵書はこころを映すもの

［九州大学附属図書館「きゅうとNEWSLETTER」二〇一二年七月］

私は大学の先生の研究室やお宅を訪ねるときは、時間があればその蔵書を拝見するのを楽しみにしている。その先生が何に興味を持ち、どんな本を読んできたかを蔵書から推測するのが楽しみだ。そしてそれについて先生との話が弾めば喜びである。もちろん専門の書が多いであろうが、専門外の書を見つけたときには話の幅が広がってゆく。

その蔵書が見事だったのは（つまり私の興味ある本が多かったということであるが）産業医大の哲学の本多正昭教授（神学博士）の部屋だった。そこには古今東西の宗教、哲学、思想の全集、著作、辞書が並んでおり、先生の学問と求道の跡が辿れるような、そして学友や道友との関係を彷彿とさせるような本が並んでいた。

私の蔵書はイスラムも含めた東洋の哲学、思想、宗教関係の本が多いのが特徴であろうか。特に東洋哲学、中でも仏教に関するもの、禅や親鸞に関するものだろうか。私の部屋を訪ねてこられる来客は多いが、残念ながら多くの訪問客が用事を済ませて、邪魔したことを恐縮するようにそそくさと出て行かれるのである。しかし中には私の蔵書についての話が弾むことがある。特に学生さんは時間があるのでそういう場合がある。『矛盾的相即の論理』（中山延二著）が目に飛び込んできたといって本を借りて帰り、その後中山延二氏の全著作を読んだという精神科の大学院生。「最近親鸞に惹かれているんです」と言いながら和辻哲郎の『原始仏教の実践哲学』を借りていく医学生。細菌学が専門なのにどうして哲学の本が多いのと驚いた医学生はそのあと、月一回の私の勉強会に来てくれるようになって現在六年目である。学生さんに推薦する本は、西田幾多郎、中山延二、井筒俊彦、上田閑照、本多正昭先生らの著作である。

中学校時代の英語の先生が読書家で、授業の合間に夏目漱石の小説の話などをよくしてくれた。その先生が生徒を何人か下宿の庭先に呼んでくれて、勉強会のようなものを開いてくれた。先生の下宿は平戸の旧武家屋敷だった民家で、庭の広さもちょうどよかった。その時蔵書を見たかどうか記憶にないのだが、勉強会のテーマがパスカルやデカルト、ラ・ロシュフーコーなどであった。私は世界は広いし、勉強すべきことがたくさんあることを教えてもらった。その先生と四十七年ぶりに中学同窓会でお会いした。七十五歳になられた先生のお話では蔵書が八千冊、毎日一冊それらを読むことを楽しみにしているとのこと。

とまれ、私は医学図書館長であった。個人には個人の蔵書の特徴があってよいが、それでは公共の図書館に蔵書の特徴は許されるのであろうか？　網羅的でパターン化した公共図書館はやはり魅力にかけるのではないか。

最近、図書館の機能が変わりつつあり、本を借りて読むという機能の低下がある。私はそれは良くないと思う。医学図書館は公共のものであるからどうしても網羅的になってしまう。そういう医学の顔の他に、遠慮がちなもうひとつの顔をつくりたいというのが、私の密かな願望である。医学図書館長として、自分らしさを出すとしたら特別コーナーを設けることではないかと思う。図書館員の努力のおかげで、九大教官の著書コーナーが設けられた。次は九大医系キャンパス出身の文学者・作家のコーナーを設けてはどうかと思っている。医系キャンパスの学生さんの中にはこれを期待する学生さんが多くいると信じている。

「蔵書はこころを映すもの」であり、「読書はこころを耕すもの」である。読書は世界を知ることであり、人生の目的や価値や意味を教えてくれるものである。蔵書の中から読みたい本を選んでの読書は楽しい。

花に寄せて　めぐみ便り

［福岡聖恵病院「めぐみ便り」二〇一六年］

平成二十七（二〇一五）年四月から医師として福岡聖恵《めぐみ》病院にお世話になり、はや一年三カ月が過ぎました。現在五病棟で精神科の患者さんを診療しています。この病棟はスタッフの皆さんの温かい人柄のおかげで、とても落ち着いて雰囲気がよく、聖なる息吹を感じながら、この病棟で働ける幸せを感じています。

私はスポーツマンでしたが、働き中毒で四十歳、五十歳代にほとんど運動をしなかったので、すっかり体は硬くなり体力が衰えました。今になって運動不足を解消すべく、休日はジョギングすることにしています。団地には遊歩道があって、体を動かしながら走ったり歩いたりするのですが、周りに次々と咲く草花がとても愛らしい。でも残念ながら私は花の名前を知りません（職員の皆さん、子供さんには伸び盛りの時期を逃さず、花の名前を覚えさせて下さいね）。大学生の時、イギリスの作家ギッシングの『ヘンリ・ライクロフトの私記』（岩波文庫）の次の一節に出会いました。それは「未知の植物にぶっつかり、参考書の助けをかりて名前を確かめ、次の機会に道端でひょっこり咲いているのをみつけて名前をあげて呼びかける、などということは嬉しい限りである」というギッシングの喜びの文章でした。

本当にそうだなぁ、私はこういう喜びを知らないなぁ、とつくづく思いました。それ以降、名前を知らない花をみるたびに、この随筆を思い出していました。

しかし、いつの間にかこういう劣等感を気にしないようになりました。さまざまな色とかたち、多様な造形の美を素直に喜べるようになりました。それはものの見方が以前の私と変わったからです。

きっかけはキリスト教神秘主義の詩人シレジウス(一六二四~七七、ドイツ)の『シレジウス瞑想詩集』(岩波文庫)を読み始めてからでした。

「薔薇」と題する詩は短い、二行詩と呼ばれるものです。

あなたの外面的な眼がここで見ている薔薇は、永遠に神の中で咲いている。

私はいつの日か、名前を知る・知らないというこだわりよりも、このような永遠とか無限の世界に惹かれるようになっていました。名前を通して花と親しくなったのではないけれど、広くて深いリアルな世界に気付くことができました。

もう一つ、シレジウスの詩を味わってみたいと思います。「薔薇は理由なく咲く」と題する詩です。

薔薇はなぜという理由なしに咲いている。
薔薇はただ咲くべく咲いている。
薔薇は自分自身を気にしない。
ひとが見ているかどうかも問題にしない。

私たちは毎日、〜のために、〜までに、〜しないように、などなど、意味の世界に生きていてそれに振り回されています。でも、私たちもこの薔薇のように「なぜという理由なしに」生きているということに気付けたら素晴らしいと思います。

「なぜという理由なしに」というのはニヒリズムではありません。「咲いている」「気にしない」「問題にしない」と続くことからも分かるように、おのずからなる自由なこころで生きてゆくことです。

第五章　ふたたび矛盾的相即

我なき者即ち自己を滅する者は、
最も偉大なる者である　――西田幾多郎

中山延二・本多正昭の哲学

中山延二先生の業績

中山延二先生は晩年に武庫川女子大学の教授をされたことはあったが（京都大学名誉教授である哲学者・西谷啓治先生の紹介であったらしい）、生涯、在野の宗教者であり哲学者であることを貫かれたと言っていい。そのため中山哲学は「知る人ぞ知る」ものであり、私たちも本多正昭先生と出会うことがなければ中山哲学に一生出会えていなかったと思う。

中山先生には多くのお弟子さんがおられたが、そのほとんどは人格的な結びつきであり、アカデミズムに拠点を置いて中山先生の哲学を継承しているのは本多正昭先生のみであると言っても過言ではない。私は中山先生が亡くなられたあと神戸で開かれた「中山先生の業績を伝える会」に出席した。確かベルリンの壁が崩壊した一九八九年であったと思う。その中で中山先生を世界の哲学界の中でどう位置づけるかが残された我々の責務ではないか、と発言した。しかし、お弟子さんの中からは哲学者・中山延二先生の業績を世界的視野で、また東洋の中の日本の中で学問的に位置づけるという発想は全く出ていなかった。その中で本多正昭先生は、みずからの神学を「相即神学」と呼んでおられることによく表れているように、中山先生の言葉を引用し、矛盾的相即の論理を世に問い、世に広めておられる。本多先生に師事する私たちは中山哲学を学べる恵まれた環境にあり、それぞれが専門の立場で中山先生の哲学を継承・発展させる任務があると考える。

中山延二先生は、周知のように数多くの著書を残されており、その多くが京都の出版社・百華苑から出版されている。業績の分野も仏教哲学を中心に広きにわたっており、中山先生の業績のすべてを述べることはとてもできないことであるが、私の理解する範囲でその業績をまとめてみたいと思う。

(1) 仏教哲学

中山延二先生の哲学の根幹は、仏教哲学である。中山先生は仏教を稲垣最三先生、桂利剣先生(浄土真宗)に学ばれた。三十歳代は三時間の睡眠しかとらずに仏教の勉強に打ち込んだと回想しておられる。中山先生は「私のいうところの仏教哲学がわからないと西田哲学は理解できない、西田哲学は仏教哲学である」と言っておられるが、西田哲学の探究も仏教哲学探究の延長線上にあったと言える。中山先生は仏教論理を真に理解・体解し、西田の「絶対矛盾的自己同一」を真に継承・発展させた学者の筆頭であると思う。

〈矛盾的相即〉

中山延二先生は浄土真宗の信者であり、廻心体験がおありになったことは間違いない。中山先生の宗教的直観は「『般若心経』の色即是空・空即是色の即が根源的真理である」ということ、そしてその哲学的直観は「即ですべてが説明される」ということであったと思われる。西田先生が『善の研究』の序で「純粋経験を唯一の実在としてすべてを説明してみたい」と述べているが、それに匹敵する中山先生の即の体験とその後の哲学的探究であったと思われる。中山先生は自己の哲学を「即」で展開された。ただ中山先生は「即」を「矛盾的相即」と表現し直した（中山先生の矛盾的相即という哲学用語は、西田の絶対矛盾的自己同一の言い換えと考えられる）。

中山先生はいつもわかりやすく矛盾的相即の説明をされた。特に、曇鸞《どんらん》大師の著書『浄土論註』を承けて親鸞聖人が『教行信証』の証の巻に書き記した「異にして分かつべからず、一にして同ずべからず」を引用されたことにより、矛盾的相即の論理がいっそう明らかになった。親鸞聖人は法性《ほっしょう》法身《ほっしん》と方便《ほうべん》法身との関係を「異にして分かつべからず、一にして同ずべからず」と説明されたのであるが、中山先生はこれをあらゆる矛盾・対立・相違の関係に普遍化し、これを矛盾的相即と表現し、これこそ世界成立の真理であると説明された。さらに「この世にあらわれるものは必ず矛盾を含んでいる」とか「具体的なものはいつも相手側に根拠をもって成立する」と説明した。有は無との矛盾的相即的有であり、無は有との矛盾的相即的無であり、単なる有も単なる無もいずれも抽象的である、と説いた。

仏教は多くの宗派に分かれているがその論理は、『般若心経』では「色即是空・空即是色」と書かれ、華厳では「一即多・多即一」、真宗では『教行信証』の「広略相入」、日蓮宗では「娑婆即寂光土」と表現され、これらはいずれも矛盾的相即にほかならないことを中山先生は明らかにされた。また鈴木大拙博士が『金剛般若経』の「一切法即非一切法是故名一切法」から「即非の論理」を提唱したが、即は必ず相否定するもの（矛盾・対立）を結ぶから、これが『般若心経』の「即是の論理」と同じことであることを説明された。つまり、【色「即是」空】は【色「即非」色】であり、【空「即是」色】は【空「即非」空】であるからである、と明快に解説された。

西田幾多郎先生は八不中道のうちの「非常非断」を特に取り上げて「非連続の連続」という言葉をよく使われた。一方、中山先生は科学的に物質の成り立ちを考える上にも重要な概念、すなわち結合と分離の概念を使って、縁起と矛盾的相即を「分離即結合・結合即分離」と説明された。このように近代科学で使われる概念を用いた説明は、仏教論理の「即」の現代的表現と言えるであろう。
中山先生は物事が真実か虚偽かの区別は、そこに矛盾的相即の論理が含まれているかどうかにかかっていると教えられた。人為的・作為的なものと、世界成立の真理に沿ったおのずからなる真理との区別をきびしく言われたが、矛盾的相即を自覚していないとその区別はなかなかできないことである。

〈「縁起・空」の説明〉

中山先生は道元禅師「生死之巻」の講義の中で、釈尊の悟りは縁起の法であり、真理とは縁起の法である、縁起が矛盾的相即といったのは私が初めてである、と言われている。この「縁起は矛盾的相即である」という発見は仏教哲学上、中山先生の最も重要な貢献であると私には思える。仏教の真髄（縁起）にみごとな哲学的表現を与えている。「即は絶対否定を媒介とする分離即結合・結合即分離を意味し、それ故に矛盾的相即を意味し、したがって縁起の論理を現したものというのである」と『矛盾的相即の論理』（一九七四年、四三五ページ）に書いておられる。
中山先生は、「縁起ゆえに空、空ゆえに縁起」と言われ、縁起と空とを切り離さずにいつも「縁起・空」と表現された。仏教の「空」は通るのがむずかしい関所である。空は体験しなければばならないものである。しかし哲学的に縁起論の方から空に近づく方法があることを教示していただいたと思う。中山先生の著書『現実の具体的把握』（一九六八年）では、「無自性は縁起の故にといい、そして無自性の故に空ということになっている」と無自性を媒介に縁起と空を結びつけている。そして無自性は単なる自性の否定ではなく「それは縁によって相即的に成立している自性、即ち縁起的自性」であり、「縁起的自性の故に実体的にそれ自身に於いてある自性ではないから空である」、「ものの自性がなくなれば空というより外ない。しかしその空が単なる空ではない。それがそのまま縁起である。即ち空も縁起的空であるのである」と解説しておられる（七〇〜七三ページ）。

〈否定的媒介〉

中山先生は、仏教では必ず否定を通す、否定を通さなければ仏教にはならない、と仏教の立場を明らかにされ、仏教を学ぶにあたって仏教の言葉をそのままの意味で受けとるのではなく必ず否定を通すことを教えられた。たとえば、仏教でいう「有」は単なる有ではなく「無との矛盾相即的有」であるということを言われた。

禅の公案も矛盾的相即をわからせるための手段であり、悟りはこの理をさとるということ、と説明された。弟子に「いかなるかこれ仏」と問われた趙州が「庭前《ていぜん》の柏樹子《はくじゅし》」と答えたのも、ほとけが無媒介的に庭前の柏樹子であるのではない、庭前の柏樹子は否定的媒介的にほとけなのであって、否定的媒介なくして公案は解けないことを示された。

この「否定的媒介」は矛盾的相即とならんで中山哲学のキーワードであり、矛盾的相即は否定的媒介をいつも含んでいるのである。

〈仏教の古典的表現への数々の新解釈〉

仏教では、一如、一体、不二、無碍《むげ》、中道など、わかるようでよくわからないという表現が多い。中山先生はこれらは古典的表現であるとして、その意味が本質的に矛盾的相即を表したものであることを明らかにされた。さらに禅の「公案」は公と案の、石頭希遷《せきとうきせん》禅師の『参同契《さんどうかい》』は参と同のそれぞれ矛盾的相即を意味することを示された。これらを華厳哲学の「一即多・多即一」の構造に対応させせると、公は一、案は多、参は多、同は一となる。縁起が矛盾的相即であることを明らかにしたことも含め、これらの古典的表現に新たな生命を吹き込んでよみがえらせ、現代の哲学の舞台にのせたことも中山延二先生の重要な業績であると思う。また、俗語となってしまった仏教の専門用語、たとえば縁起、往生、我慢などの本来の意味を教えてくださった。

真宗教学の中でかつて誰も解読できなかった『浄土論注』の「非干非者　非非之能是乎」の

親鸞聖人による訓点を「非にあらざればあに非のよく是なるにあらざらんや」と解読された。この問題への考究の経緯は著書『親鸞聖人の論理的自覚』（一九六四年）に著わされており、岩波書店の『教行信証』にも中山先生の現代語訳が載っている。

『臨済録』の「随処に主となれば立処《りっしょ》皆真なり」の「真」について、仏教で真といえば縁起の法以外にないのであり、「主となれば」とは「空になれば」ということであると、仏教本来の立場で解釈しておられる。

(2) 時間論

中山先生ご自身は「時間論」は最も得意とするところだと言っておられる。著書の『仏教に於ける時の研究』（一九六九年）により京都大学で文学博士号を取得されたが、これは旧制の学位取得制度の最後の年であったという。『正法眼蔵中山釈』（一九七四年）の中の「有時の巻」の注釈では、「有時」を時間的即空間的・空間的即時間的の矛盾的相即で説明され、前後際断、独立無伴の絶対現在もそこには前後の連続、相対の有伴ともいうべき矛盾したものが含まれていなければならないと解説された。「時間の空間化即空間の時間化」という表現は中山先生ならではの到達点と思われる。また「異時因果」に対して「同時因果」など「同時」ということの大切さを強調された。本多先生のお話によると、ある時中山先生は時間を説明するのに、黒板にチョークで円を描いて同時にそれを黒板消しで消していかれたそうである。中山先生でなければできない時間の教え方と敬意を表さずにはおれない。

(3) 教育哲学

中山先生はかつて小学校の校長や兵庫県の教育委員長をしておられたので、教育問題に関しても『本来の教育哲学』(一九七二年)や『教育の源流』(一九六五年)を著している。現在、いじめ、校内暴力、学級崩壊など教育の荒廃が深刻な状況の中で、教師の根拠は生徒にあり、生徒の根拠は教師にある、という矛盾的相即の論理は基本的に重要さを増すであろう。

『本来の教育哲学』の中にある分《ぶん》の論理、点数論など、いずれも矛盾的相即を基礎にした教育論の展開は、中山先生ならではの業績である。点数はその子の教科の点数であり人格の点数ではない、良い悪いを点数だけの評価で行ってはいけないと言っておられるが、教科の点数が人格と無関係ではないということもちゃんと押さえておられた。

中山先生は「分は存在を規定するもの」と言われ、「存在するものの各々が、それぞれの分(おのずからなるちがい)に於いてある」という「分の哲学」を展開された(『本来の教育哲学』四四ページ)。個性や多様性を大切にすることが叫ばれているが、その根拠は「分の論理」にあらねばならないことを示し、あくまで存在に関する哲学的思索の根底から個性の大切さを強調された。

また、聞くことの大切さを言われた。「聞」は自己否定の姿であること、「聖」という字は「耳を呈する」と書くということ、話し合いより聞き合いの方が大切と教えられた。

仏教は憶えることではない、身につけること、と言われた。現代、教育が知識を憶えさせることに偏重しているのに対し、実践の大切さを教えられた。我々教職にある者も、知識を蓄積することよりも思想を形成することの大切さを学生に伝えなければならないと思う。

(4) 西洋哲学との対決

西田幾多郎先生は、西洋の哲学者と対決しながら独自の哲学を構築した。中山先生も著書『矛盾的相即の論理』において、ハイデッガーの同一性、サルトルの存在と無、ヤスパースの包括者、マルクスにおける矛盾の抽象化、さらには田辺の誤謬と曲解についても批判を行っている。

中山先生によれば、結合の仕方には三つの段階がある。第一は二つのものが一つに結びつくという考え方、第二はもともと一つのものが二つに分かれたという考え方、第三は仏教論理において初めて到達されたところの、結合即分離・分離即結合、すなわち結合していることが同時に分離していること、分離していることが同時に結合しているということ、である。この第三の結びつき方がどこまでも矛盾的相即に根底を置いた結合の仕方であり、それとともに、具体的で正しい考え方であると示した。そのコンテキストの中でハイデッガーの同一性はこの第二の段階にまでしか到達していないことを明らかにした。

次にサルトルの対自存在の無は欠如あるいは不在を意味しているにすぎず、存在しているものはどこかに有るのであり、仏教の教える「有ることが即無である」ということが結局わかっていないと指摘した。

マルクス批判においては、マルクスの矛盾論は不均衡のみが社会を動かす原動力であるとして均衡の面を切り捨てており、均衡即不均衡となっていない。

田辺元博士に対してはその『懺悔道としての哲学』（岩波書店、一九四八年）のある一節を取り上げて、相即の論理がよくわかっていないと批判している。田辺批判は仏教の本質がわかった中山先生ならではの的確な批判であり、田辺哲学に関わる研究者には著書『仏教と西田・田辺哲学』（一九七九年）の一読を勧めたい。

（5）わかりやすい講義

中山先生は多数の著書を残した一方、神戸宗教哲学会で多くの講義をされ、会のメンバーであった本多先生や新谷脇太郎氏が講義録をテープに残しておられる。特に三年間にわたって正月に行われた西田幾多郎の『場所的論理と宗教的世界観』についての講義は、西田哲学の真髄を詳細に解明した特筆すべきものである。その中で、「私のいう仏教哲学がわからないと西田哲学はわからない」と言っておられる。

そのほか、『無門関《むもんかん》』、『臨済録』、華厳哲学、『参同契』、道元禅師の「生死之巻」や「有時之巻」などの講義は内容が深く、聞くたびに新しい発見をもたらし、何度聞いても飽きることがない不思議な講義である。

中山先生の講義は、茶碗とか夫婦げんかなど身近な例を引きながら、独特のユーモアをまじえ聞く人を哲学の世界へ引き込んだ。先生は独善ということをたいへん嫌われたが、独善ということを教えるのに、「鴨は飛《た》つ鯉は寄り来る柏手に　下女は茶をくむ猿沢の池」という歌を紹介された。西田先生の論文が難解であるのに対し、中山先生の哲学の話がなぜわかりやすいのかを考えるのも興味深いテーマである。

中山延二による西田哲学の展開

これまで見てきたように中山先生の業績は広い分野にわたり多くのものがある。そして確かに西田哲学を継承しているし、わかりやすく解説しておられる。我々が少しでも西田哲学がわかるというのは中山先生のかみくだいた解説のおかげである。仏教哲学が根本にある西田哲学であるから、中山先生の解説がなければ西田哲学が理解できないのは当然のことかも知れない。「即」は「聖者も知る能わず、仏も弁ずる能わず」といわれるほど難しいのであり、体得しなければならないのであるが、矛盾的相即を、植物の向日性と背日性や、せんべいを噛むことなど、日常的なたとえで説明され、西田先生の説明の足らないところを見事に補っておられる。

そこで問題としたいのは、中山先生の「矛盾的相即の論理」が西田の「絶対矛盾的自己同一」の代替語とも考えられることから、中山先生の哲学が果たして西田哲学を越えているか、西田哲学を越える中山哲学というものがあるのか、ということである。

西田哲学が到達した原理は「絶対矛盾的自己同一」であった。中山先生は自己同一は何が自己に同一かという難しい問題をはらむので、このところを相即と言い換えた。相即の出典は『教行信証』にある「相即相入」で、親鸞は相即は体に対し、相入は「用」に対し用いた。また、西田先生は絶対を文字どおり「対を絶する」という意味で用いている。矛盾するものが相対的にあるのではなく自己に含まれているので絶対なのである。中山先生は絶対を省いたが、矛盾的相即が絶対でも相対でも言えるということからなのであろう。

中山先生は西田先生の絶対矛盾的自己同一を矛盾的相即と言い換えつつ、時には西田先生以上に仏教の即の論理を展開したと思う。原理的には両者の哲学は仏教の「即の哲学」であり、原理的にはそれで言い尽くされていると思われる。それでは原理そのものの発展というものがあるのであろうか、私はそれはないと考える。しかし、ある思想原理の展開というものはあるであろう、いや、なければならない。

「純粋経験を唯一の実在としてすべてを説明してみたい」と西田先生が言われたように、哲学者はその哲学的直観を原理として自己の哲学体系を構築する。その体系化の際に、哲学者が生きた時代と風土と個人史の違いにより哲学原理の発展的展開による体系化というものがあるであろう。「華厳十玄」に「託事顕法」とあるが、変化する「事」は不変の「法」の展開である。不変の原理をその時代にあわせて展開するという作業は必要であり、また哲学者の個性により原理が色彩を変えて輝くことがあるのは、その哲学原理の有効性と可能性の豊かさを示すものであろう。

繰り返しになるが、西田哲学と中山哲学の原理は同じ仏教の即の論理である。両者の違いがあるとすれば、それは体系化の過程と体系全体に出てくる差である。西田先生は悟りをロゴス化するために苦闘され、西洋哲学との対決を通じて、純粋経験、自覚、歴史的世界、歴史的生命、行為的直観を経て絶対矛盾的自己同一（のちに逆対応や逆限定という言い換えも出てくるが、ここでは一応同じことであるとしておこう）に到った。

私は西田哲学の前半を自覚（悟り、見性）の哲学、後半を場所の哲学と理解している。「場所的論理」の中心はもちろん絶対矛盾的自己同一であるが、西田先生はその意味するところが即や縁起であることを、どれほどわかりやすく説明しているであろうか、中山先生ほどわかりやすく明解に仏教の即を説明できなかったのではないか。

西田先生はどこまでも西洋哲学との対決を通して自己の哲学体系を構築した。そして最後に即の論理（絶対矛盾的自己同一）に到達した。即の論理を宗教哲学的に展開されたのが『場所的論理と宗教的世界観』であった。しかしそれが晩年であったため、個々の仏典に還って即の論理を展開することができなかった。

中山先生は西田先生の到達点を出発点として、即の論理で仏典を再解釈しその哲学的構造を明らかにされた。難解であった仏教哲学の本来の意味を明らかにし現代によみがえらせたことが中山先生の最大の業績であり、そこに西田哲学の新展開があり、中山哲学と呼べるものもあると考える。仏教史から言えば、中山先生は現代仏教再興に貢献したと言えると思う。

絶対矛盾的自己同一を矛盾的相即と言い直し、矛盾的相即が縁起であることを明らかにされた中山先生は、西田哲学の到達点が仏教哲学の本来の論理「即」であることを示し、仏教哲学を現代にも通用する哲学として提示したと言えるであろう。矛盾的相即による仏教哲学の現代的再解釈と再構築、これが中山哲学独自の体系の柱である。

本多正昭先生の功績

若いときにニーチェに心酔し、のちにカトリック信者になった本多先生はイエズス会修道士として香港、マニラに赴き、そこで腸にガスがたまるという心身症を患って帰国した。友人の勧めで虎穴に入る思いで中山延二先生の門をたたき、中山先生に参師聞法して仏教の即の論理を体得した。それはお風呂に入っていて体にお湯の熱さが身に沁みるような感覚だったと述懐しておられる。当時の座禅会で着想したのが縁起的神概念であった。ここまでの本多先生については橋本裕明氏（南山大学教授、ドイツ文学）の論考「相即の哲人 本多正昭」に詳しい。

本多先生は縁あって北九州市に新設された産業医科大学の哲学の教授として昭和五十三（一九七八）年四月に着任された。本多先生の神戸における師であった森信三先生から、異分野の大学で力を発揮するべきだと叱咤激励を受けたという。筆者は創立四年目の昭和五十六（一九八一）年四月に産業医科大学微生物学教室に講師として（昭和五十七年から助教授）赴任した。本多先生と親しくしていただくきっかけとなったのは、赴任して二〜三年目だったと思う。朝、秋月龍珉氏と本多先生が産業医科大学病院の廊下を歩いておられるのを見かけた私は、秋月師の特別講義があるのではないかと感じて、本多先生の部屋に電話をかけ聴講の許しを願った。

本多先生にはすぐ、どうぞどうぞと快諾をいただいた。秋月師の講義の内容は残念ながら記憶していないが、その日の夜は産業医大のレジデントハウスにある和室で小宴が催された。本多先生とのご縁はこのときから始まった。

間もなくして本多先生の研究室にお邪魔してお話を伺うようになった。本多先生の「すべてが隠顕俱成ですよ」という言葉に惹かれその意味をたずねたところ、中山先生の矛盾的相即を教えられた。「隠顕俱成」は中山先生の『華厳哲学素描』（一九七八年）に出てくる「華厳十玄」の中の隠と顕の矛盾的相即を表す重要な言葉である。このことが引き金となって、私は中山延二博士の著書をむさぼり読むことになった。当時、産医大の精神科の大学院生であった安松聖高氏も「矛盾的相即の論理」に興味を持ち読み始めた。安松氏によれば『矛盾的相即の論理』という本の題名が目に飛び込んできたそうである。その後、氏は即の勉強に邁進し、中山先生の他、西田幾多郎の著作も読むようになった。

本多先生は神戸の海星女学院から産業医科大学に赴任されたので、神戸時代のお弟子さんも産医大に来られて勉強していた。橋本裕明氏、佐藤泰彦氏（白百合学園教諭）、定本ゆき子氏（精神科医師）、野口鐘之氏がそうである。産医大に来られてからは、藤野昭宏氏（医学概論、教授）が弟子となった。

本多先生の哲学の講義は一年間を通じて行われた。その講義は、「土・身・死・理」の四つのカテゴリーで構成されていた。「土」は自然科学の中の特に素粒子論であった。広島大学教授の鳴海元先生を講師として呼ばれていた。カントのアンチノミーも教えていた。本多先生は物理の中野正博准教授（当時）とフリチョフ・カプラの『タオ自然学』の勉強会もしておられた。「身」の身体論では、市川浩氏の『身体の現象学』をテキストに使っていた。

池見酉次郎先生との出会いもあり、池見先生は本多先生から「身心医学」の哲学的根拠は矛盾的相即にあることを学ばれた。「死」はサナトロジーの講義であり講師として古川泰龍師を招いていた。「理」は矛盾的相即の講義であった。テキストには、道元の『正法眼蔵』、西田幾多郎の『善の研究』、ご自身の『比較思想研究』からとられた文章を本多先生ご自身でまとめた小冊子を使っておられた。講師は毎年四名（四つのカテゴリーに一名ずつで合計四名）お呼びになっていたが、「理」では秋月龍珉師（臨済宗）のほか、鈴木格禅師（曹洞宗）、八木誠一師（カトリック）など、本多先生が「禅とキリスト教懇談会」や、「東西宗教交流会」で知り合われた錚々たるメンバーが講師であった。

このようにして、本多先生は産業医科大学の建学の使命にある「哲学する医師を養成する」を実践した。そのテーマは、生と死、心と身体、物質と精神、主観と客観など、いずれも矛盾的相即でしか説明できないものであり、さらには、尊厳死、臓器移植など医学的なテーマに及んだが、底に流れるものは「人間とは何か」であった。

本多先生は九州大学での恩師・田辺重三先生との霊的交流を経て、故郷で神体験があり洗礼を受けた。本多先生はこの神体験をどう説明したらいいのかを模索していたと思われる。それがスコラ哲学では実現できず、仏教の即の論理、西田幾多郎の矛盾的自己同一、中山延二の矛盾的相即こそが体験を説明できるものとの哲学的開けがあった。私たちには西田の「純粋経験」についてよく説明されたがそれは本多先生の体験の説明であり、その論理は矛盾的相即であることを示された。本多先生は、キリスト教の悲劇はイエスの悟りが西に伝えられギリシャ哲学で説明されたことにある、もし東洋に伝えられていたらキリスト教は今とは違っていただろう、と言われていたが、これは自らの体験が重なったものと言えよう。

私たちの学会発表も本多先生のご指導があった。藤江良郎先生（福岡栄光病院）、安松聖高先生（福岡聖恵病院）と私の三人で組んで行うことが多かった。この講演はまず私が矛盾的相即の論理について話し、次に安松先生が精神科医の立場から、最後に藤江先生がホスピスなどの臨床現場での即について「癒し癒される医療」と題して発表した。発表は日本医学会総会（平成十五／二〇〇三年、福岡）、日本医学倫理学会（平成十七／二〇〇五年、北九州）、西田・田辺記念講演会（平成十七年、京都）、西田哲学会（平成十八／二〇〇六年、京都）などで行った。

本多先生は数学を勉強したかったと述懐しているように、自然科学にも興味をもち科学的真理の探究にも情熱をそそいでいた。カントのアンチノミーを紹介して、科学者はこれ以上分割できないアトムを探しているが、これ以上分解できないということは科学的に証明できないことであり、科学が自ら証明できないことを根拠に進められていることは危ういことである、と警鐘を鳴らした。本多先生は、即の論理はこれで分かったと言えるような浅いものではないと言われていたが、筆者も学べば学ぶほど、考えれば考えるほど、その深さに感嘆している。

本多先生の弟子である我々の任務

二十世紀が終わろうとしている現代社会は、さまざまな対立が表面化し、分裂に悩む時代である。自分と他人の分裂、国家・民族・宗教・イデオロギー間の抗争、人間と環境、物と心の解離がきわだっている時代ともいえる。現代社会を主導する思想は西洋で生まれたものであり、それは近代科学を発達させたが、次のような特徴がある。①ジレンマに陥る二元論、②自己を世界の外において外から世界を記述する対象論理、③因果律と要素還元主義に基礎をおいた科学的合理主義、④生存より生産を優先する実利主義、である。

アジアに位置する日本は歴史的なターニングポイントであった明治維新と第二次世界大戦後の国づくりにおいて、いずれも西洋論理を取り入れた。しかし、これら西洋思想の行き詰まりは、科学の進歩が人間の幸福とは結びつかないではないかという疑問となり、それは経済の破綻、平和が実現されない現実を見ても明らかである。対立を克服し、真の平和を実現する新しい価値体系の創出が、現代ほど求められている時代はないであろう。

この対立を解決する原理は「矛盾的相即」以外にはないのではなかろうか。政治家や宗教や民族の指導者が、そして我々がその持ち場持ち場で矛盾的相即の哲学を学び生かさなければならない。

西田先生は昭和十八（一九四三）年七月二十七日、務《む》台《たい》理《り》作《さく》氏に宛てた手紙の中で「私の場所の論理を媒介として仏教思想と科学的近代精神との結合ということは私の最も念願とする所であり最終の目的とする所でございます」と書いておられる。私はこれを読んだとき、中山先生を通して西田哲学を学ぶ者として、これからの方向性を教えられたと思った。仏教思想の根本原理は縁起の論理であり矛盾的相即であることを中山先生から教えられた。これを手がかりにすれば西田先生の夢を引き継ぐことができるのではないか。

我々の目前の任務は端的に言って、科学的因果論に対して「場所の縁起論」を明らかにすることだと思われる。クローン動物をつくりながら多くの種を絶滅させている、景気の回復は地球の温暖化を促進する、新しい化学製品は環境ホルモンなどの問題を引き起こす。個々の生活の豊かさ、便利さ、快適さを追求してそれらは達成されたが、人類全体の滅亡の危機は確実に迫っている。こういう結果になるのは全体が見えなかったからだし、全体の調和のしくみをよくわかっていないからである。私はここに科学的因果論の限界をみる。真の進歩は世界成立の真理に沿ったものでなければならないと中山先生が書いておられるが、真の進歩をいかにすすめるかは人類の緊急課題であろう。私はささやかではあるが、仏教的縁起論を探究する一歩として科学的因果律との対比を試みている。

縁起には未解決の重要なテーマがたくさん埋蔵されていると思う。縁起では、それ自身で有りそれ自身で動く世界を考えるのであるから、神が世界を無から創造したとするキリスト教とは対照的である。仏教とキリスト教の対話には縁起論は避けて通れないであろう。とすれば、仏教の縁起論で「無からの創造」をどう考えうるのか、重要な課題となってくるであろう。

また、縁起の哲学をもつ国でなぜ近代科学が発達しなかったのか、ということもまじめに考えなければならない。ふつう、このことは東洋の立ち遅れというネガティブな視点から言われがちである。しかし、限界を感じ始めた西洋近代科学の担い手たちがその限界を超克し新しい科学を創造していく原理をそこに見つけるという、ポジティブな視点からの問題提起ともなりうるのではないか。それで「縁起」という言葉の代わりに近代的な用語を作り用いることも必要であろう。

筆者は平成十（一九九八）年母校九州大学の細菌学を担当することとなった。そこで意を決し、学生さんと一緒に即の勉強会を始めることにした。テキストは中山先生の著作であり、最初に使ったのは『現実存在の根源的究明』(一九七一年)、次に『華厳哲学素描』『一切真実の根拠としての世界』(一九七六年)と続き、今は『現実の具体的把握』を使っている。教えることは学ぶこと、即の論理を深め、豊かなものにしたいと願って勉強会を続けている。

勉強会を始めて十五年、月一回であるが毎月続け、おかげさまで毎月少なくとも一人、多いときは五〜六人の学生さんが集まる。医学部キャンパスの中で即の勉強会を開くのはマイナーであり変わり者と思われているだろうが、学生さんが一クラス一〇〇名もいればその中には哲学に興味を持っている学生、生き方を模索している人が必ずいて話を聞きに来てくれるものである。

即の論理に出会って、私は何が真理であるかと迷うことがなくなり、即の勉強に打ち込めることが救いであり、喜びである。その喜びを一人でも多くの学生さんに伝えたいという思いで勉強会を続けている。

おわりに

筆者は細菌学を専門としながら矛盾的相即の哲学を学んできた。現代は、科学を語らずして哲学を語ることはできない。科学のとどまることのない進歩、人類・社会への影響力を考えると、科学が社会を変える最も強い力となっていることを認めないわけにはいかない。科学者は哲学や宗教を学ぼうとしない、一方哲学者や宗教者は科学の進歩についていけない。哲学は科学をどう導くかということを視野に入れなければならないのではないか。

西田先生は「対象論理は具体的論理の自己限定の契機としてこれに包まれるものでなければならない」と言っておられるが、我々は科学を否定することなく、人類史の一契機として哲学の中に正しく位置づけなければならないのである。特に自然科学と科学技術を研究する者は、知識の集積と技術の獲得のみに終わってはいけない。その人の人生観や世界観は、思想にまで体系づけられなければならない。宗教は信仰だけと捉えてはいけない。中山先生が言われているように、真の宗教は正しい哲理を含んでいるのである。だから我々は哲学を学び、宗教を学ぶ。

あとがき

西田幾多郎先生の哲学を中山延二先生が学び、中山延二先生の哲学を本多正昭先生が学び、本多正昭先生の哲学を私は直接聞くことができ、幸運に恵まれたと思います。

真実を知りたいという欲求は満たされない限り、真実を求め彷徨《さまよ》うといわれます。西田哲学や仏教哲学はとても難しい内容ですが、わかった時の喜び、そういうものをエネルギーとしてこの本ができたと思っております。

本書の出版にあたり、産業医科大学微生物学講座の齋藤光正教授には教室の利用を快く許可いただき、後押しをいただきました。教室の小川みどりさん、宮原敏くん、このお二人には大変煩雑な作業への惜しみない協力をいただきました。小川さんのコミュニケーション能力、宮原くんのパソコンを使う能力などがなければ、泥沼に足を突っ込んだ私の希望は夢に終わったでしょう。

また、第一章「『般若心経』と仏教哲理」については、平戸雄香寺の土谷征義和尚様から専門的な角度から的確な助言をいただきました。

中野正博先生とは第二章「相即の知」の論理の探究について有益な議論を重ね、筆を進めることができました。本多正昭先生のもとで共に学んだ橋本裕明先生は、全体を通して細部にわたり助言を下さいました。

運転免許証を返納した私の運転手になって色々な所に運んでくれた妻・美佐子、そして子供たち——陽生、泰生、悠子の励ましにも感謝します。特に泰生、長尾泰道師は、現在淡路島真観寺の住職を務めており、『般若心経』や仏教に関する部分だけでなく本全体へのアドバイスをくれました。

出版・編集に際しては、花乱社の宇野道子さんにお世話になりました。

本当に多くの方々に助けていただき、深く感謝いたします。

今後残されたいのちがどれほどあるか分かりませんが、今回書くことができなかったモノ・コト・ヒトを書いて残したいと思っています。

二〇二三年十月

吉田眞一

吉田眞一（よしだ・しんいち）
昭和24年　長崎県平戸市生まれ
昭和49年　九州大学医学部卒業
　　　　　医師免許取得
　　　　　九州大学医学部附属病院にて研修（産婦人科学）
昭和54年　九州大学医学部細菌学教室助手（昭和56年まで）
昭和56年　医学博士（九州大学）
　　　　　産業医科大学医学部微生物学教室講師（昭和57年まで）
昭和57年　産業医科大学医学部微生物学教室助教授（平成６年まで）
昭和62年　オランダ・ライデン大学感染症科に留学（昭和63年まで）
平成３年　JICA ケニア感染症プロジェクトに参加
平成６年　産業医科大学医学部微生物学教室教授（平成10年まで）
平成10年　九州大学医学部細菌学教室教授（平成27年まで）
平成27年　九州大学名誉教授
　　　　　医療法人聖恵会・福岡聖恵病院に精神科担当医として勤務
　　　　　（令和５年まで）

【主著】
『戸田新細菌学』改訂32～34版，共編，南山堂，2002年
『系統看護学講座　専門基礎　微生物学　疾病のなりたちと回復の促進』
　共著，医学書院，2005年ほか多数

細菌学者《さいきんがくしゃ》の般若心経《はんにゃしんぎょう》と相即《そうそく》の知《ち》

❖

令和5（2023）年11月10日　第1刷発行

❖

著　者　吉田眞一

発行者　別府大悟

発行所　合同会社花乱社

〒810-0001 福岡市中央区天神5-5-8-5D

電話 092（781）7550　FAX 092（781）7555

印刷・製本　株式会社富士印刷社

［定価はカバーに表示］

ISBN978-4-910038-82-7